SUSANE COLASANTI

De Repente Acontece

Tradução
Vera Caputo

Novo Conceito

Esta edição foi publicada sob acordo com Viking Children's Books, uma divisão da Penguin Young Readers Group, membro da Penguin Group (USA) Inc.

1ª Impressão — 2014

Produção editorial:
Equipe Novo Conceito
Impressão e Acabamento RR Donnelley 031213

Este livro segue as regras da Nova Ortografia da Língua Portuguesa.

Dados Internacionais de Catalogação na Publicação (CIP)
(Câmara Brasileira do Livro, SP, Brasil)

Colasanti, Susane
De repente acontece / Susane Colasanti ; tradução Vera Caputo.
-- Ribeirão Preto, SP : Novo Conceito Editora, 2014.

Título original: When it happens
ISBN 978-85-8163-318-3

1. Ficção norte-americana I. Título.

13-12409 CDD-813

Índices para catálogo sistemático:
1. Ficção : Literatura norte-americana 813

Novo Conceito

Rua Dr. Hugo Fortes, 1885 – Parque Industrial Lagoinha
14095-260 – Ribeirão Preto – SP
www.grupoeditorialnovoconceito.com.br

Dedico a inspiração para realizar este projeto criativo...

Aos Visionários

Anne Rivers Gunten, que enxergou meu destino ao longo do caminho; Regina Hayes, por saber qual era o melhor caminho; e Jill Davis, por ter sido a primeira a perceber que existia uma viagem.

Ao Yin

Laila Dadvand, por sempre saber qual é o nosso destino; Allison Granberry, por jamais ficar parada no mesmo lugar; Sara Dhom, a deusa extraordinária do acampamento de verão; Nancy Bennett, a melhor professora de ciências do sistema solar; Michelle Shaw, minha alma gêmea na busca do amor verdadeiro; Eillen Harvey, a mais meiga vovó que existe.

Ao Yang

Jim Downs, por seu apoio incondicional, por todas as caminhadas e por acreditar que é preciso confiar; Tim Stockert, fabulosa fonte de luz positiva; Joe Torello, que sabe tudo sobre as notas de cinco dólares em *Escrito nas Estrelas*; George Pasles, a criatividade excêntrica por definição; Mike Ippoliti, pela gentileza e pelo espírito de organização; Shawn Lindaberry, por ter feito de Tobey o garoto maravilhoso que ele é.

Aos Salvadores

Chad Parker, por impedir que as páginas originais se transformassem em papel de rascunho; Andrew Hertzmark, o analista especializado no comportamento de meninos; Sharon Gannon e David Life, pelas criativas festas de Réveillon; David Ippolito, por ajudar-me a me sentir inteira e pelas mágicas transformações em The Hill; Shakti Gawain, meu mestre de meditação; Energia Universal, por indicar o caminho.

À Música

Esta história teria sido outra se não existissem os músicos que me levam sempre aonde quero estar: James Taylor, R.E.M., John Mayer, Eminem, Simon & Garfunkel, Sting, Coldplay, John Lennon, Led Zeppelin, Dave Matthews Band, Fleetwood Mac e, é claro, The Cure.

PARA DERRICK,

que prova que as almas gêmeas realmente existem.

Capítulo 1

Últimos dias de verão

28 de agosto, 19h23

— E aí?

— E aí, o quê? — perguntei, embora soubesse o que ela queria saber. Maggie fez essa mesma pergunta durante todo o verão. E a resposta foi sempre não.

— Ele ligou?

— Quer parar com isso? — pedi — Porque não está acontecendo nada.

A perspectiva de iniciar um novo ano escolar na próxima semana sem um namorado é a pior possível. Não quero me interessar por um babaca qualquer só porque ele está mais próximo. Quero um namorado com tudo a que tenho direito. O pacote completo.

— Sara, sabe o que isso significa? — Maggie insiste.

Finjo que não ouço. Maggie tem uma imagem ideal de romance que eu não acredito que exista na vida real. Bem que durante todo o verão eu me esforcei para acreditar, mas não consegui. Porque Dave nunca ligou.

— Quer dizer que ele está pensando em algo muito maior — Maggie insiste.

— Colossal! — Laila ironiza.

— Tão grande que vai explodir sua cabeça — Maggie conclui.

Dave é um garoto que se mudou do Colorado para cá e veio para a nossa escola no fim do ano passado. É lindo como um deus grego e joga no time de basquete. Desde que ele se sentou ao meu lado no encontro do time mirim — apesar de todas as garotas bonitas e muito mais populares do que eu também estarem ali — estou esperando que ele tome a iniciativa. Nós conversamos algumas vezes, mas nada demais aconteceu. Então, quando ele pediu meu número de telefone no último dia de aula, anotei imediatamente na agenda dele, achando que fosse me ligar no dia seguinte. Mas... ele não ligou. Maggie insiste em dizer que ele gosta de mim. Se está mesmo tão interessado, por que ele não liga?

Odeio me sentir desse jeito por causa de um garoto. E odeio admitir que esteja acontecendo justo comigo.

— Próximo assunto! — digo.

Maggie volta-se para Laila e pergunta:

— Quanto tempo você acha que vai levar para o Dave convidar a Sara para sair?

— Acho que logo no primeiro dia — diz Laila. — No segundo, no máximo.

— Gente, vamos jogar? — peço. Nos alto-falantes do Mini Golf Putt-Putt começa a tocar *Can't Fight This Feeling.*

— Vamos lá: cena de terror favorita — Laila começa.

— Ah, essa é boa! — diz Maggie.

— Então, comece você — Laila diz a Maggie.

A bola cor-de-rosa que acabo de tacar vai longe demais.

— Já sei qual é — Maggie começa. — É daquele filme do Freddy que ele está embaixo da cama da garota. Ele sai quebrando tudo e... acho que ela vai parar no porão, não lembro direito. Esqueci como continua. Eu acordei com o pescoço todo arranhado.

— Ei! — diz Laila. — Lembro disso! Não foi no oitavo ano?

— Acho que sim.

— Que horror! — comento.

A bola de golfe cai ao lado de um flamingo cor-de-rosa de plástico e volta rolando para mim.

Embora sejamos grandes amigas, nós nos conhecemos, digamos, uns oitenta e cinco por cento, por isso inventamos o Jogo dos Favoritos. Esgotados os favoritos, a gente pode perguntar o que quiser. É quando chegamos mais perto daquelas coisas fundamentais que raramente conhecemos na outra pessoa.

É a minha vez, mas a única cena de terror que consigo enxergar é Dave rindo da minha cara por eu achar que existe uma possibilidade, ainda que remota, de ele gostar de mim. Então bato meu taco no de Laila:

— Eu passo. Sua vez.

Laila pensa um pouco. A bola passa pelo flamingo e para exatamente na beira do buraco. Ela é uma excelente jogadora. Na verdade, é perfeita em tudo o que faz. Imagine que ela passou o verão trabalhando como voluntária no Overlook Hospital. Laila quer ser pediatra. Na família dela só tem médicos, menos o irmão, mas é porque ele só tem oito anos.

— Boa! — Laila exclama. — Lembram-se de quando alugamos *Um Lobisomem Americano em Londres*, no Halloween?

— E...?

— Lembram-se de quando eles percebem que estão andando pelo cais, onde não deveriam estar?

— Hummm... — Dou uma olhada para Maggie. Ela faz uma cara de *não tenho a mínima ideia do que essa garota está falando.*

— Fiquei apavorada — Laila conclui.

Maggie se volta para mim.

— Quantos quilos você perdeu mesmo?

— Acho que dois.

— Comendo o quê? — Laila pergunta.

— Sei lá... Pouca coisa. Eu queria entrar outra vez no meu jeans do ano passado. Agora já estou entrando.

— Nunca mais faça isso.

— Por quê?

— Você não faz ideia do mal que faz ao seu metabolismo passar fome...

— Laila?

— Hum?

— Eu estou bem, não estou?

— Está.

— E não passei fome. Comi de tudo.

— O quê, por exemplo? — Maggie ironiza. — Dois bolinhos de arroz e uma cenoura?

— Para sua informação, comi também um pouco de alface.

Na verdade, apenas impus um embargo pessoal à minha porção diária de Dunkin' Donuts. Laila e Maggie não sabem que eu era viciada em sorvete porque nunca tive coragem de contar a elas. É impressionante como faz bem cortar essas bobagens do cardápio. Seguimos para a etapa seguinte, a do moinho praticamente impossível.

— Vamos lá — Maggie propõe. — Metas para este ano.

— Fácil — diz Laila. — Quero ser oradora da turma.

— É mesmo? Não basta fazer o discurso de boas-vindas?

— Não. Não basta.

Laila jamais aceita ser a segunda seja no que for. O pai dela é do tipo controlador. Não permite que faça nada depois da escola, ela só pode sair nos fins de semana e não pode namorar. Não sei como Laila aguenta.

— Se é isso mesmo que você quer, diga a frase no presente: *sou a oradora da turma.* Estou lendo o livro *Visualização Criativa.* A sua vida será como você quiser se imaginar que ela já está sendo. Como a minha segunda meta para este ano é alcançar a paz interior, é o que estou fazendo.

— Quê?... Também faz parte da sua iluminação zen? — Laila pergunta.

— Faz. E está funcionando.

— Bem, mas antes você terá que destronar a Michelle — lembra Maggie.

— Fala sério! Parece que o cérebro da Michelle já veio programado com todas as informações inúteis de que a gente precisa para ser aprovada no exame final — digo e esfrego o taco de golfe na grama de plástico. — Só existe alguém que pode vencer a Michelle, e esse alguém é você. Sua vez de jogar.

— Obrigada. Vou conseguir. Próxima meta?

— A minha — diz Maggie. — Quero ser inteligente.

— Mas você já é inteligente — digo.

— Não, não sou! Não tanto quanto vocês.

Concentro-me no monjolo no final do campo. Maggie tem razão, mas nunca dissemos isso a ela. E também não tem a menor importância. Eu trocaria facilmente a minha inteligência pelo corpo de Maggie. Ela é uma loura de tirar o fôlego e tem namorados de tirar o fôlego desde o sétimo ano. Maggie tem mais roupas que qualquer outra pessoa que conheço, mais até que as populares. Ela era dessa turma até o sétimo ano. É preciso preencher dois requisitos básicos para ter o privilégio de pertencer ao grupo delas: ser bonita e ser rica. Mas Maggie é gentil, é fiel e me defende com unhas e dentes de quem me olha como elas me olham. Chegaram a exigir que Maggie deixasse de ser minha amiga para não prejudicar sua reputação. Que bom que Maggie deu um basta nelas! Tenho até vergonha de confessar, mas a rejeição delas ainda me magoa.

— Querem uma prova? — Maggie pergunta. — Quem você pegou em História?

— O sr. Sumner.

— Tá vendo? Eu peguei o sr. Martin. Tem até história inteligente e história burra!

— Você não é burra! — nós duas dizemos ao mesmo tempo.

— Tanto faz.

— E como pretende fazer isso? — pergunto.

— Vocês vão ver — Maggie promete. — Sara, qual é a sua meta?

Quanto a isso, está decidido: eu vou me reinventar este ano. Sempre fui uma nerd. Minha vida nos últimos três anos tem sido a mesma rotina cansativa. Sempre as classes especiais com os mesmos dez colegas, infinitos trabalhos para casa, levantar cedo e começar tudo de novo. Cansei de esperar para começar a viver. Alguma coisa tem que acontecer. Um namorado legal, por exemplo. Sei que ele está por perto. Só preciso encontrá-lo. Gostaria que fosse o Dave.

— Quero um namorado — eu disse. — Alguém que venha com o pacote completo.

As duas ficam me olhando.

— Que foi?

— Nada — diz Laila.

— Que foi?

— Nada. É que...

— *Que foi?*

— Gostaria de saber onde você vai encontrar esse homem perfeito. Já não saiu com todos os caras mais ou menos aceitáveis que conhece?

— Ela só teve dois namorados — Maggie lembra.

— Exatamente. Esgotou a cota.

— É... por isso estou pensando em conhecer os garotos de outras classes. Qual era a probabilidade de o Dave se sentar ao meu lado naquele encontro? Isso prova que posso me sentar ao lado de quem eu quiser. Nas assembleias, na torcida organizada, em qualquer lugar.

— Eu não entro em torcidas organizadas — diz Laila.

— Mas eu entro! Aí é que está!

— É gente burra demais para você — diz Laila.

— Amor não tem nada a ver com inteligência — Maggie interfere.

— Pode acontecer com qualquer um.

— Quem, por exemplo? — Laila insiste.

— Ora, com o Dave — Maggie reage.

— De quem é a vez? — interrompo, porque falar no Dave está me dando azar.

— É a sua — diz Maggie.

Agora, tenho que calcular o *swing* para que a bola passe entre as pás do moinho. Se não conseguir, acabou. De repente, é muito importante conseguir. É um sinal. Se a bola ultrapassar o moinho, Dave gosta de mim. Se não ultrapassar...

Posiciono a minha bola.

Estudo a distância do moinho.

E penso no universo. *Por favor, permita que aconteça.*

Movo a bola para a direita e preparo o *swing.*

É um *hole in one.*

Capítulo 2

Os primeiros dias do outono

1º de setembro, 21h14

Amanhã é o primeiro dia do resto da minha vida.

Termino a primeira série de levantamento de peso de quatorze quilos. Examino meus bíceps para sentir o músculo. Estão firmes. Melhor do que estavam antes. Comecei a me exercitar no último dia de aula para fortalecer os músculos dos braços, que pareciam dois cabos de escova de dente. Quero estar bem no palco quando a banda se apresentar. Todo mundo sabe que as garotas preferem garotos malhados, com músculos bombados e veias saltando, e braços fortes o suficiente para sustentar a flexão quando estão por cima delas na cama...

Estou me distraindo.

Faço mais três séries de quinze flexões e volto a examinar meus músculos. Melhoraram muito. No banheiro, faço cem flexões sentado e mais cinquenta deitado e me sinto o maior garanhão que já existiu. Mas essa imagem logo desaparece quando me olho no espelho.

Procuro evitar o espelho sempre que posso. Não sei por que achei que fazendo exercícios a minha cara também melhoraria. Tenho espinhas nos lugares que mais chamam a atenção, e sob lâmpadas fluorescentes parece que fumo dez maços de cigarros por dia. Muito atraente!

Furioso, entro no chuveiro. Eu devia ter ligado pra ela durante o verão. E se ela desse uma gargalhada quando eu a convidasse para sair? Não, melhor ficarmos amigos primeiro. É preciso ser gentil, notar detalhes, dar toneladas de atenção. Garotas adoram esse tipo de coisa. E ela não se negará a passar para o estágio seguinte.

Fecho o chuveiro e pego a toalha para me enxugar. Finalmente vou vê-la amanhã. Devo puxar conversa? Não vai parecer que estou desesperado?

Tenho que relaxar.

No meu quarto, jogo a toalha no chão e visto um calção. Não sei se ela prefere calção ou cueca. Ou short. Cynthia gostava de short, mas outras garotas que conheci não tinham opinião a respeito. Só fiz sexo com a Cynthia. Por isso acho melhor um short.

Abro a gaveta do meu guarda-roupa onde estão as cuecas. Se eu as visse pela primeira vez, o que pensaria? Que estão muito velhas. Devo comprar cuecas novas? Detesto pedir isso a minha mãe. Todo mundo usa cueca, porém é constrangedor admitir isso para a sua própria mãe. Mesmo que ela lave as minhas roupas.

Então tenho uma ideia. Eu mesmo posso comprar minhas cuecas! E minha mãe nem precisa ficar sabendo! Por que não pensei nisso antes? Para que eu já tenho meu próprio carro, senão para sair e fazer esse tipo de coisa?

Por que os relacionamentos são tão complicados?

Tecnicamente, eu não namorei com a Cynthia. Por isso não considero que tenha sido um relacionamento. Tínhamos pouca coisa em comum além de uma imensa vontade de transar. Por um tempo foi muito bom, até eu começar a sentir um tremendo vazio. Meus amigos não entendem quando digo isso. Eles são uma completa anomalia no quesito garotas. Sabe, já gostei de outras garotas que não tinham nada na cabeça, mas sempre só por algum tempo. Elas são muito vazias.

Sei o que estou procurando, o que serve para mim. E sei o que é real.

Abro o armário, afasto uma pilha de pares de All Star Converse da frente, uma velha guitarra de segunda mão e uma pilha de revistas, até chegar à minha caixa de sapatos. Nessa caixa guardo coisas íntimas. Sento no chão, encosto na parede e abro a caixa. Lá dentro tem um pouco de tudo. Pego a minha primeira palheta e me lembro de quando aprendi a usá-la. Tem a corda de guitarra quebrada no nosso primeiro ensaio, na nona série. Tem também as músicas que compus que falam de garotas e sexo, anotadas num caderno separado, porque minha mãe não pensa duas vezes para abrir a minha mochila e espiar as minhas coisas. Mesmo que eu já tenha dito a ela milhões de vezes que uma qualidade admirável nos pais é respeitar a privacidade dos filhos.

Abro numa página e encontro a música que fiz para ela. Para a garota que está ocupando todo esse departamento do meu cérebro. Não nos conhecemos bem, mas sempre estudamos na mesma escola. Desde que fomos para classes diferentes no sétimo ano, não a tinha visto mais até o ano passado, quando fizemos aula de artes juntos. Eu soube depois que ela estava saindo com o Scott, que é um nerd, mas um cara bem legal. Por isso nunca me aproximei dela.

Ela é diferente das outras garotas. É das mais inteligentes. Isso já deu para perceber. E é tímida. É muito diferente das garotas que me deixaram entrar na casa delas sem que eu nem soubesse o nome. Conversar com essas garotas é fácil. Com Sara é praticamente impossível. Não só porque ela é um gênio, mas porque me deixa louco de tesão. Garotas bonitas e inteligentes sempre me intimidam.

E se eu terminasse de compor esta música para a Batalha das Bandas? Poderia dedicar a ela. E ela ficaria comovida. Eu sorriria para ela e a olharia de um jeito especial. As garotas me dizem que tenho olhos bonitos. Mas a Batalha das Bandas será só em novembro. Não posso esperar tanto.

Fecho a agenda e empurro a caixa de sapatos para o fundo do armário. Jogo algumas revistas por cima e espalho coisas em volta.

Estou sentindo uma vontade louca de tocar por horas a fio. É a sensação que chamo de zona quente. Quando estou na zona quente consigo compor coisas muito boas.

Pego a guitarra e abaixo o volume do amplificador. Meus pais já estão dormindo. É assim que a maioria das pessoas vive. Elas se casam com alguém que consideram boa pessoa, compram casa, têm filhos e vão se deitar às dez horas da noite. Acham que jogar bridge com os vizinhos e comer-tudo-o-que-quiser no buffet do Sizzler são boas diversões para as noites de sábado. Por que tem que ser assim? Acho que meus pais já foram mais apaixonados, mas hoje só os vejo cansados. Não quero isso para mim.

Dedilho as cordas da minha guitarra. O que estou sentindo por Sara neste momento é como quero me sentir sempre.

Vai acontecer. Amanhã.

Capítulo 3

Sobrevivendo à aula introdutória

2 de setembro, 7h49

Caitlin passa por mim falando alguma coisa sobre Aruba. Ela esbarra na minha mochila e nem pede desculpas. É sempre assim entre as princesas e os gênios.

Repito para mim mesma que dentro de nove meses nada disso voltará a acontecer. Nove meses, treze dias e umas oito horas. Ainda estou contando os minutos!

Quem chega mais cedo fica na lanchonete até a hora de ir para a classe. Encontro uma mesa, sento, tento parecer que não me importo de ficar aqui sozinha no primeiro dia de aula do último ano. Mas não estou convencendo. Apoio os cotovelos sobre a mesma. Corrijo as costas e me sento ereta no banco desconfortável. Não sei onde pôr as mãos para aparentar que estou à vontade. Laila ainda não chegou, Maggie foi ao banheiro. Ao menos tenho o meu caderno de desenho para me acalmar.

Este caderno funciona como um arquivo dos desenhos e trabalhos da aula de arte, como um registro dos fatos mais relevantes e também como uma espécie de diário. Mas a função mais importante é reunir meus esboços arquitetônicos, criando uma espécie de portfólio para a minha inscrição na faculdade. Quero ser urbanista, sabe, quero me formar em Arquitetura e Ciências Ambientais. E espero que seja na New York University, onde não é simplesmente muito fácil entrar. Por isso tenho estudado como louca nos últimos três anos. Minha motivação é cair fora desta cidadezinha ridícula que é Nova Jersey. Morar em Nova York é o meu projeto de vida.

Enfim, levo este caderno aonde quer que eu vá. Desenho sempre que estou inspirada. Nunca se sabe quando pode acontecer.

Quero documentar o que estou pensando neste primeiro dia de aula. É importante. Abro uma página em branco. Olho disfarçadamente à minha volta. Todos estão agitados, andando de um lado para o outro, muito interessados em saber o que os outros fizeram no verão. Odeio me sentir incomodada por ninguém vir me perguntar.

Certamente não espero que de repente percebam que estou viva. Estou acostumada a ser invisível. Mas por que isso me incomoda tanto? Por que deveria me importar se Caitlin e companhia me tratam como se eu não existisse? Eu tenho minhas amigas — duas, mais do que muita gente. Faz tempo que digo a mim mesma que nada disso me incomoda. Jamais alcançarei a paz interior se não mudar. Eu vou conseguir.

Mas ainda não consigo.

Além do mais, como encarar mais um ano com as mesmas expectativas e o mesmo estresse? Se Joe Zedepski deixar a calculadora dele cair no chão mais uma vez, juro que vou quebrar. Custa muito deixar essa calculadora no meio da carteira e não tão perto da extremidade, onde você sabe que vai cair? É muito difícil entender isso?

Prefiro visualizar meu futuro. Vejo um lugar onde tudo dá certo, só acontecem coisas boas e posso ser quem eu quero. Me vejo dentro de uma bolha cor-de-rosa, flutuando no espaço, deixando as coisas acontecerem.

Mas hoje a minha capacidade de visualizar está abaixo da eficiência normal. Porque agora temos uma aula introdutória. E as primeiras impressões são as que ficam.

Estou nervosa.

Espero para entrar na sala, finjo que estou esperando alguém. Dave não está lá dentro. Mas os amigos dele, Caitlin e Alex, estão. Se eu me acalmar, vou conseguir entrar elegantemente, sem que eles me notem. E talvez Dave me convide para sair. Mas, se eu agir como uma idiota, ele ficará sabendo até o fim da terceira aula. A escola é pequena e as notícias correm. Ninguém consegue esconder nada de ninguém.

Minhas pernas estão trêmulas. Sento na primeira carteira que encontro. E finjo procurar alguma coisa dentro da bolsa.

— Oi, pessoal! — diz a sra. Picoult. — A grade de horários de vocês está pronta. Venham pegar.

Em dez segundos a mesa dela está rodeada de alunos, a maioria reclamando dos horários, dizendo que vai falar com o orientador. A sra. Picoult ergue a voz para dizer que ninguém vai entrar na sala do orientador antes do intervalo para o lanche. O caos se instala. Os alunos gritam que quem fez aqueles horários não sabia o que estava fazendo.

Vou para a frente da classe. O meu horário é o único que ainda está sobre a mesa. Pego a folha de papel e me preparo para o pior. Mas, milagrosamente, parece que está tudo bem.

Nome: Sara Tyler		Ano: 12°	
Período	Matéria	Professor	Sala
1°	Educação Física	Spencer	Ginásio
1°	Lab. Física	Blythe	300
2°	Cálculo	Perry	308
3°	Desenho	Slater	Sala de arte
4°	Inglês	Carver	Auditório
5°	Inglês	Carver	114
6°	Intervalo		Lanchonete
7°	História dos EUA	Sumner	225
8°	Física	Blythe	302
9°	Teoria Musical	Hornby	Estúdio

O único problema é o de sempre. A aula de educação física é logo no primeiro período. Todo ano é a mesma coisa. Já tentei obter uma dispensa, mas não consegui. Eles dizem que as outras aulas estão lotadas, que tem que ser assim e não se pode fazer nada. Vou ter que conviver com aquela sensação horrível de ficar com a calcinha molhada de suor o dia inteiro, o ano inteiro. Não gosto nada disso!

Volto para a minha carteira para preencher uns setenta e cinco formulários. Caitlin, que está sentada ao meu lado, preenche seus formulários e fala com as amigas. De repente, fica olhando para as minhas meias três-quartos. Eu provei um milhão de roupas ontem à noite até me decidir por estas meias retrô, minha saia jeans nova e a camiseta azul-claro de que eu mais gosto.

— Oi? — pergunto.

Caitlin olha através de mim, como se eu não existisse. Em seguida, fala com as amigas. Uma delas ri.

Ergo a mão para ir ao banheiro.

Um grupo do último ano está conversando no saguão e parece totalmente alheio às complexidades da aula introdutória. Quando vou passar por eles, percebo que Dave é um deles.

Congelo.

Devo cumprimentar? Ou continuo andando e aceno de longe? Se não fizer isso agora, talvez não o veja mais o resto do dia. Preciso desesperadamente saber se ele gosta de mim ou não. Penso no que acabou de acontecer com Caitlin. Para ela, simplesmente eu não existo. Se eu não me aproximar agora de Dave, será catastrófico.

Ainda estou decidindo o que fazer quando Dave e seu grupo seguem andando pelo corredor. E ele não me viu aqui.

Minha vida acabou e a primeira aula nem começou.

Capítulo 4

O Sobrevivente da Lanchonete

2 de setembro, 6º período

Se a placa da lanchonete VOLTE SEMPRE! fosse sincera, estaria escrito DROGA DE VIDA!

Todos que estão aqui nesta lanchonete são falsos. Principalmente as meninas. Elas beijam e abraçam as mesmas pessoas que trucidavam pelas costas no ano passado. É tudo tão absurdo! Como se em junho não víssemos a hora de nos livrarmos uns dos outros. Mas a culpa não é só delas. Foram programadas pela sociedade para acreditar que ser perfeita, popular, bonita e animada é ter uma boa vida. Elas não sabem que os *geeks* serão os mais bem-sucedidos no futuro?

Continuo esperando na porta. Se Mike e Josh não lanchassem no mesmo horário eu teria ido ao Subway. Bem, talvez vê-los bancar O Sobrevivente da Lanchonete, como se milhões de dólares estivessem em jogo, seja divertido.

Regras do Sobrevivente da Lanchonete

Dê a impressão de que você sabe o que está fazendo. Tudo o que você fizer deve parecer intencional. Mesmo que a sua bandeja vire e todo o lanche caia na sua roupa, lembre-se: você quis que acontecesse.

Dê a impressão de que está gostando. Se estiver sentado com pessoas que odeia porque todas as mesas estão ocupadas, finja que está adorando. Qualquer coisa é melhor do que ficar sozinho.

Sente-se com outras pessoas, mesmo que seja na cabeceira da mesa. Mas, se quiser ficar sozinho porque sofre de ostracismo grave, finja ler alguma coisa emocionante. Isso criará uma aura à sua volta e enviará a mensagem: "Minha vida é tão agitada que preciso dar um tempo da civilização. Por favor, não perturbe. Muito obrigado".

Reclame da comida. Mesmo que esteja boa. Observação: pode abrir uma exceção para pizza com cara e gosto de pizza, mas só se a borda não estiver muito murcha.

Jamais, em hipótese alguma, se sinta rejeitado.

Esta última regra resume a diferença básica entre mim e todos os demais. Não me importo de ser rejeitado.

Saio da fila e procuro uma boa mesa para observar as pessoas. Essa é uma das minhas diversões prediletas. Vejo como elas interagem, imagino o que estão sentindo, às vezes ouço trechos de conversa... e tenho ideias para as minhas músicas.

Vou lá para os fundos, perto das janelas. Ponho a bandeja sobre uma mesa vazia. Quando Mike e Josh chegarem, vamos conversar sobre a gravação da nossa demo. Trabalhamos o verão todo para alugar um estúdio. E temos que decidir se vamos participar da Batalha das Bandas.

Eu me sento e fico olhando para as batatas fritas.

— Oi, Tobey — uma voz feminina me chama.

Levanto a cabeça e vejo um enorme par de seios na minha frente. Eles pertencem a Cynthia. Não conversamos mais desde abril. Foi quando ela me encostou na parede para saber se era ou não a minha namorada. E eu disse que não estava querendo um relacionamento. Na verdade, eu não queria nada mais sério com ela.

— Oi, Cynthia — respondo educadamente, esperando que ela suma da minha frente. Estou num momento muito diferente agora. Não sei por que eu fiquei com ela; mas deve ter sido só uma coisa física.

Ela apoia as mãos na mesa e se debruça. Vejo tudo sob o top decotado. Agora sei por que fiquei com ela.

— E aí? — ela pergunta.

— Tranquilo.

— É que... à noite a gente vai se reunir na casa do Zack. Os pais dele estão em Barbados.

Cynthia se debruça mais, e seu rosto está diante do meu.

— Tá a fim de uma festa?

— Não muito. Desculpe.

O sorriso dela se desfaz instantaneamente. Eu sinto uma pontada de culpa por fazê-la se sentir mal. Mas as coisas estão muito claras para mim, mais do que antes.

— Ah, que pena.

Tenho um segundo de arrependimento quando vejo aquelas

nádegas se afastando. Então penso em Sara. Foi bom estar com a Cynthia, mas só por um tempo.

Josh chega.

— Oi, Tobey! E aí? Quanto tempo!

Não nos vemos há três dias.

Josh deixa a bandeja na mesa e pega no meu braço.

— Uau, cara! Olha só pra isso! Tá malhando muito?

Josh é um pouco exagerado. É uma das suas melhores qualidades.

— Arram — confirmo.

— Cara! Você não vai acreditar no que me aconteceu ontem! Eu estava na praia, na casa do meu irmão, e sabe que...

As histórias dele não terminam nunca. Ele ainda falava quando Mike chegou.

— Oi, cara — cumprimentou Mike.

— Oi.

Mike é meu melhor amigo. Tem tudo a ver comigo. Compõe músicas, faz poesias, joga gamão e xadrez, gosta de garotas inteligentes. Também gostamos das bandas da velha guarda, como The Cure e R.E.M. Nossas influências musicais são praticamente as mesmas. Josh curte nosso estilo e gosta de tudo o que fazemos.

De repente, Josh grita: — Último ano, cara! Nós mandamos nesta escola! — E começa a pular no banco.

Josh pula tanto que Mike derrama refrigerante na camisa. Sempre há algum tipo de conflito entre eles. Josh é mais espontâneo, um baterista cheio de garra. Tem uma personalidade quase oposta à de Mike, que planeja e analisa tudo. E eu sou o sensível, o introspectivo. Juntos, formamos uma boa banda.

— Calma, cara. — Mike põe a mão no ombro de Josh. — O que há com você?

— O que há comigo? E o que há com você? — Josh faz a voz de Danny Zuko da peça que a escola montou no fim do ano passado,

Grease — Nos Tempos da Brilhantina, em que Josh fez o personagem do John Travolta. Foi o maior sucesso. Ele quer ser ator. Eu quero ser músico. Grande parte das nossas conversas é reclamar das pessoas que nos aconselham a desistir enquanto ainda podemos fazer alguma coisa por nós mesmos.

Mike me pergunta:

— Ela já chegou?

— Não.

Sutileza não é uma característica do Josh.

— Urru! Tobey tá apaixonado. Tá com tesão! Tobey tem...

— Ei, cara, pare com isso!

Mike fala tão sério que Josh cala a boca e começa a comer.

Mike sabe sobre Sara. Josh também, mas de um modo diferente. Josh adora relacionamentos dramáticos. É famoso pelas demonstrações públicas de humilhação diante de ex-namoradas. Mike, assim como eu, procura coisas mais reais. Não sei se ele tem consciência disso, porque prefere paquerar. E nunca está satisfeito com o que tem.

— Vamos ver os horários — Mike diz a Josh.

Nós três pegamos nossa grade de horários e vemos que só temos em comum o intervalo para o lanche e as aulas no ginásio. Mike e eu também temos as aulas de História.

— Você comprou o baixo novo? — Josh pergunta a Mike.

Eles ficam conversando, e eu me distraio.

Finalmente a vejo.

Ela está entrando com Laila. Está abraçando seu caderno de desenho, parece diferente, mas está igual. Melhor, se é que isso é possível. Quer dizer, ela era incrível, mas agora... Quase tenho um ataque apoplético quando ela olha na direção da minha mesa. Lembro-me das fantasias que tive no verão. As noites quentes, eu suado na cama, ouvindo o meu iPod...

Mike nota meu estado e segue meu olhar.

— Veja só o que ela consegue fazer!

Josh apenas completa:

— É isso aí.

Capítulo 5

Olhando para mim

2 de setembro, aula de inglês

Quando vejo Scott na aula de inglês, não me lembro mais por que namoramos no ano passado. Quando percebi que esperava mais do que ele tinha para me dar, terminei.

Scott olha para mim e rapidamente desvio o olhar. Laila está guardando uma carteira na frente. Então posso evitar olhar para Scott, que está sentado atrás, procurando alguma coisa na mochila. Garotos já me traumatizaram o suficiente até hoje.

— Bom dia, meus pequenos gênios — a voz forte do sr. Carver ecoa pela sala. — Sejam bem-vindos à turma dos mais inteligentes do ensino médio.

Arram. Nada mais pretensioso! Esse cara viaja na maior *egotrip* com sua aula de inglês. Ano passado fui eu quem o homenageou. Ele acha que a matéria dele é a mais importante que existe, que ele nos indica os melhores livros que existem. Mas a lista de livros deve ter sido criada em 1927 e nunca mais foi atualizada. Até hoje.

Laila me passa um bilhete. Estamos trocando bilhetes sobre Caitlin desde a aula de cálculo. Há pouco ela impediu que eu estrangulasse Joe Zedepski, pois ele já conseguiu fazer a calculadora dele desaparecer. É uma calculadora enorme, que ele não vai usar porque hoje é só o primeiro dia de aula. A mesma calculadora que ele põe na ponta da carteira, que se desequilibra e cai no chão. Enfim, é muito bom ter duas aulas com Laila. Depois vamos nos encontrar com Maggie na lanchonete.

Desdobro o bilhete de Laila no colo e leio:

Sara, esquece essa garota. Ela não tá com nada.
Sua fã número 1,
Laila.

Respondo:

Laila,
Esquecer de quem?
A presidente do seu fã-clube,
Sara.

Laila tem razão. Caitlin não merece que a gente se ocupe dela. E, se Dave não gostar de mim, também não tem a menor importância.

Na hora do lanche o saguão fica congestionado. Enquanto seguimos para a lanchonete, pratico o exercício de visualização. Eu me vejo com meu namorado ideal. Ponho essa imagem dentro de uma bolha cor-de-rosa e a deixo flutuar pelo universo. Sinto que o amor está muito perto de mim.

Somos empurradas para dentro da lanchonete.

— Ali — Laila diz, e aponta uma mesa vazia.

Deixamos as mochilas na mesa e voltamos para a fila. Pego bandeja, prato, talheres e alguns guardanapos. Deslizo minha bandeja até um destino culinário de... o que será isto? Tartaruga frita? Prefiro passar e pegar um sanduíche. Também tem batatas fritas, então não será um desastre.

— Cadê a Maggie? — Laila pergunta.

— Não sei.

Sentamos. Animada, Laila me conta em detalhes a dissecação da aula de biologia. Uma sensação esquisita que não consigo identificar compete com a fome que estou sentindo.

Maggie deixa a bolsa sobre a mesa.

— Onde você estava? — pergunto. — Achei que não viria lanchar conosco.

— Estava cuidando da minha meta — diz Maggie.

— Qual? — Laila pergunta.

— Eu já disse, ser mais inteligente.

— Ah, lembrei — diz Laila. — Só não sei como se pode ficar mais inteligente de uma hora para outra.

— Tentei entrar em sua turma de História. — Maggie olha para mim.

— Ainda está pensando nisso? Pare de se preocupar...

— E não me deixaram. Não disse a você? Eles planejam tudo conforme o tamanho do cérebro.

— Sinto muito, mas, se você não fosse inteligente, não estaríamos aqui com você — Laila a interrompe.

— É verdade — acrescento. — E eu passaria mais tempo com o meu namorado.

— Que namorado? — pergunta Maggie.

— Você sabe. O Jake.

— Ah, tá — Laila responde. — Pela última vez: Jake Gyllenhaal não é seu namorado. É artista de cinema. Sinto informar, mas li que ele está saindo com outra pessoa.

— Tudo bem... mas sou mais inteligente do que ela.

— Quer apostar que ele não se interessa por garotas inteligentes? — Maggie desafia.

— Vamos falar de gente de carne e osso? — Laila implora.

— Oi! — Dave diz.

De repente, Dave está bem aqui do meu lado.

Engasgo com uma batata frita e começo a tossir incontrolavelmente, uma tosse que leva um ano para passar.

— Oi — minha voz sai como um chiado. Tomo um gole de chá. Quero limpar a gordura dos dedos, mas não tenho guardanapo. Olho para Maggie. Impassível, ela continua bebendo suco. Mas consigo ver um balão de pensamento sobre a cabeça dela: *Não falei?*

— Posso sentar aqui? — Dave mostra o espaço ao meu lado, que está vazio.

— Hã... pode — gaguejo.

Laila começa a comer o hambúrguer e parece extasiada com as informações nutricionais na caixinha de leite. Se ela olhar para mim, vai começar a rir.

Dave coloca a bandeja sobre a mesa e senta ao meu lado. Na verdade, muito perto de mim. É desnecessário, porque não há ninguém depois dele.

Procuro respirar normalmente.

— E aí, como foi o verão?

— Bom — respondo. — Hã... Esta é Maggie.

— Oi.

— Oi.

— E... conhece a Laila?

— Não, mas já ouvi falar. — Ele sorri para ela.

— É mesmo? — Laila não acredita. — Ouviu o quê?

— Que você é muito inteligente. — Dave se volta para mim. — As duas são. — E olha nos meus olhos. Sinto que ele gosta de mim.

— A Maggie também é — Laila completa.

Maggie respira fundo.

Eu diria que Dave está... *me encarando.*

Não posso acreditar que o garoto mais bonito do mundo esteja falando comigo. *Comigo!* Ele queria mesmo o meu telefone quando pediu.

Sinto que estou ficando ruborizada e me levanto.

— Eu, hum... querem alguma coisa? Vou pegar um suco — digo e saio sem esperar pela resposta, porque meu rosto está vermelho como um pimentão e eu não gosto disso.

Entro novamente na fila para comprar o suco que não quero beber. O que será que eles estão conversando? Por que sou tão idiota? Dou instruções a mim mesma: *não fique vermelha; relaxe.* Lembre-se, foi ele que veio até você. Calma. Esteja aqui e agora. Seja zen.

Quando procuro o dinheiro no meu bolso, deixo cair uma moeda. Me abaixo para pegar e bato minha cabeça na cabeça de alguém que se abaixou ao mesmo tempo.

Esfrego a cabeça e me vejo diante de Tobey Beller.

Ele me devolve a moeda.

— Ah... desculpe! Desculpe! Você está bem? — ele pergunta, muito constrangido.

— Estou — respondo. — Obrigada. — Pego a moeda de volta.

— A gente tem que cuidar dessas coisas o tempo todo. Elas vivem querendo fugir — Tobey brinca.

Eu rio.

— É mesmo! Essas moedas não sabem o que fazer.

O problema do Tobey são os seus incríveis olhos azuis. Eu ficaria olhando para eles durante dias e não me cansaria. Conversamos muito no ano passado. Fizemos até uma matéria juntos. Eu achava que ele gostava de mim, mas, como ele nunca disse nada, não tenho certeza. Provavelmente esses olhos azuis estão interferindo no meu pensamento lógico. Seja como for, pretendentes a roqueiros famosos não fazem meu tipo.

Pago o suco e me preparo para voltar ao meu futuro namorado. Estou tão nervosa que meu coração parece querer saltar do peito e sair correndo. O caminho da paz interior é longo e difícil.

Retorno à mesa e me sento. Maggie está rindo de alguma coisa que Dave disse.

Ele se volta para mim:

— Conhece aquela dos três caras que estavam guiando no deserto?

— Não, essa eu perdi. — Olho para Laila em busca de sinais do que Dave falou na minha ausência. Mas ela apenas sorri. Está adorando cada minuto desta situação.

Dave começa:

— Eles estão no deserto e o carro quebra. Então eles decidem seguir a pé. O primeiro diz: "Vou levar o saco de Doritos caso a gente sinta fome". O segundo diz: "Vou levar garrafas de água". O terceiro começa a tirar as portas do carro. "O que você está fazendo?", pergunta o primeiro. "Vou levar as portas", ele responde. "Para quê?", pergunta o segundo. "Se ficar muito quente, posso baixar os vidros".

A piada é tão infame que se torna engraçada. Todo mundo ri.

Então Maggie se levanta e diz:

— Tenho que ir ao banheiro. E você também. — Ela pega no braço de Laila e a tira do banco. Laila já tinha ido ao banheiro antes de comer.

— Então, o que você faz nos fins de semana? — Dave pergunta.

— Hummm... gosto de ler — respondo.

— É mesmo? — pergunta, como se jamais tivesse ouvido alguém dizer isso na vida. — E o que está lendo agora?

— Além dos cinco livros que tenho que ler até amanhã, estou lendo *A Coisa*.

— O quê?

— *A Coisa*. É o nome de um livro. *A Coisa*, de Stephen King.

— Ah, ele é demais. Leu *O Iluminado?*

— Claro! Eu amo esse livro. Li um milhão de vezes.

— É mesmo? — Dave sorri.

— Não, só três. Adorei o filme também.

— É, é demais. Você gosta de cinema?

Quem não gosta?

— Adoro.

— Vamos ver um filme neste fim de semana? — perguntou.

Ele perguntou. Ele fez isso! Sinto que vou ficar vermelha e digo a mim mesma: *Não fique vermelha. Pare com isso!*

Mas é tarde demais. Dave já percebeu.

— Desculpe. Eu não queria...

— Não, tudo bem. — Tento esfriar o rosto com a garrafa de suco. — Está muito quente aqui.

Está muito quente aqui? Por favor, me diga que eu não falei isso.

— E aí? Topa? — ele insiste.

Não é possível que ele ainda queira sair comigo.

— Aceita o quê?

— Sair comigo sábado.

Recorro a toda a minha força de vontade para continuar sentada e não sair dançando pela lanchonete. Esse garoto absurdamente lindo gosta de mim! Funciona mesmo passar o verão visualizando um deus grego.

— Topo.

— Não foi muito convincente! — Dave comenta.

— Não? Quero ir mesmo!

Isso o fez sorrir novamente.

— Eu também quero. — E me olhou outra vez daquele jeito.

Então, neste exato momento Laila retorna.

— Olá! — ela cantarola. — A hora do lanche terminou. Todo mundo já saiu, se vocês não perceberam.

Capítulo 6

Olhando para o suco

2 de setembro, 12h50

— Vamos! — Mike me diz.

— Aonde?

— Como assim aonde? Para a fila!

— Mas ela...

Mike me dá um empurrão.

— Vamos!

Não consigo sair do banco. Não era assim que devia acontecer.

— O que é que tá havendo? — diz Josh. — Anda!

Eu me levanto. Vou para a fila. Passei os últimos cinco minutos observando aquela ameba do Dave e seu ego superinflado sentados ao lado da Sara. Conversando com ela. Conversando com as amigas dela.

De onde foi que *ele* apareceu?

Entro na fila. Ela está na minha frente, procurando um suco.

Não sei o que dizer.

Ela abaixa para pegar alguma coisa. É agora ou nunca. Me abaixo também, quase derrubando a garota atrás de mim. Tem uma moeda no chão. Quando me abaixo, batemos nossas cabeças. Bom, pra ser mais exato, eu bati a cabeça na cabeça de Sara como um desajeitado que nunca sabe o que fazer. Muita calma!

Pego a moeda e entrego a ela. Sara está esfregando a cabeça.

— Desculpe! — digo. — Você está bem?

— Estou, obrigada.

Digo alguma coisa que deve ter sido engraçada, porque ela está rindo. Mas não lembro mais o que foi. Só disse alguma coisa que a fez rir.

— Até mais — ela se despede.

— Tchau — é o que consigo dizer. Não é à toa que ela volta quase correndo para o Dave.

Vou para a minha mesa. Josh não está mais.

— E aí? — Mike pergunta.

Eu me sento.

— Cara! O que foi aquilo? — ele continua.

— Não foi nada!

— Como assim? Era a sua chance de fazer alguma coisa.

— Eu sei.

— E...?

— Não sei.

— Que situação! — diz Mike.

Agora Dave diz alguma coisa que faz as meninas rirem. Dave acaba de chegar à cidade. Ele não pode se sentar naquela mesa e fazer todo mundo rir. Eu conheço Sara, Laila e Maggie desde o terceiro ano. Eu as vi crescer. Conheço as histórias delas. Dave não sabe nada sobre elas.

— Temos que pensar em alguma coisa, é isso — diz Mike. — Deixa comigo.

Quando Laila e Maggie se levantam, entro em pânico. O que ele está dizendo a ela? O que ela está pensando? Existe agonia maior do que esta?

Ela sorriu para mim. Mas foi embora. Como ela pode viver sem mim?

Capítulo 7

O que penso dele

4 de setembro, aula de desenho

— Não estou conseguindo fazer este desenho — reclamo.

O sr. Slater percebe a minha dificuldade em lidar com a régua T. Juro que ele está tentando não rir.

— Qual é o problema? — ele pergunta.

— Minha cabeça está dando um nó. Já comecei umas dez vezes.

Iniciamos o ano com desenhos mecânicos, que eu acho torturantes. Hoje estamos fazendo desenhos no estilo Escher, com formas que não têm começo nem fim.

— Tenha calma — diz o sr. Slater —, você vai conseguir.

Eu sabia que ele ia dizer isso. Afinal, ele é ou não é um hippie assumido de meia-idade que jamais se aborrece? Seu cabelo longo com mechas grisalhas fica preso num rabo de cavalo. É um estilo radical, porque moramos em um subúrbio sofisticado onde não se pode usar um cabelo desses a menos que você seja uma garota. Um tempo atrás saiu um artigo sobre o sr. Slater em uma revista chamada *Weird New Jersey*. Ele pretendia ser um Frank Lloyd Wright, entretanto um colega da faculdade roubou seu grande projeto e acabou se tornando um arquiteto famoso em Nova York. E o sr. Slater ficou aqui conosco. Acho que o projeto de vida dele não deu muito certo.

— Estou nervosa — digo a ele, e quase rasgo o papel ao apagar um traço colocando força demais.

— Por quê?

— É um garoto.

Conto tudo para o sr. Slater. A gente gosta muito dele. Ele é muito compreensivo e nos dá ótimos conselhos. É o oposto da minha mãe.

— É mesmo?

— O Dave.

— Dave? O garoto novo? — ele pergunta.

— É — respondo baixinho.

O sr. Slater se senta do meu lado.

— E por que ele está deixando você nervosa? Aconteceu alguma coisa?

— Não... é que... não é exatamente ele, é mais... o que eu penso dele.

O professor espera.

— Como quero que ele seja — digo, reposicionando a régua T. — E se ele não for? Se for apenas como outro garoto qualquer?

— Isso é ruim?

— Não é o que eu quero.

O sr. Slater coça o queixo.

— Me conte outra vez o que houve com seu pai.

Estou acostumada à lógica do sr. Slater. Tenho aula de artes com ele todo ano. E ele tem o dom de se lembrar dos detalhes mais banais da nossa vida e nos mostrar quando menos esperamos, e assim nos ajuda a entender melhor o que está acontecendo.

— Não sei bem — digo. — Acho que eles eram muito novos. Minha mãe tinha só 16 anos quando me teve. Lembra? — Ele balança a cabeça afirmativamente. — Meu pai estava no último ano, meus avós o tiraram da escola e se mudaram antes de eu nascer. Eu acho que nunca o vi.

— Você gostaria de conhecê-lo?

— Não.

— Bem, a única maneira de saber quem é o Dave é conhecê-lo melhor.

— Eu sei.

— Sr. Slater! — alguém chama do outro lado da sala. — Minha régua T quebrou.

O professor sorri.

— Boa sorte — ele me diz.

— Obrigada. — Ele não disse nada demais, mas seu jeito tranquilo de encarar a vida ajudou a diminuir minha preocupação.

Faço mais dois traços e fico novamente nervosa. Quando tudo era fantasia com o Dave, eu só ficava impaciente e excitada. Agora que ele me convidou para sair, estou feliz por isso e ao mesmo tempo não estou. Logo será a hora do lanche. Vou lanchar com o Dave.

E tenho um encontro real no fim de semana.

Com o Dave.

Quando Laila e eu estamos indo para a lanchonete, estou à beira de um ataque de nervos.

— Você acha que Dave vai se sentar conosco outra vez?

— Ele está apaixonado por você. Nem uma manada de cavalos selvagens conseguiria mantê-lo longe.

— Quê?

— Não sei o que estou dizendo. Acho que o sr. Carver danificou de vez a minha medula oblonga.

— Quê?

— Oi! — Dave diz. Está na porta da lanchonete me esperando.

— Oi — respondo, sem olhar nos olhos dele. Nas duas últimas noites conversamos muito tempo ao telefone, mas pessoalmente é bem diferente. Olhar para ele é como olhar para o Sol. Dave é *muito* bonito. Quase entro em combustão espontânea perto dele.

Dave fala no meu ouvido:

— Podemos conversar?

— Claro. — Eu me volto para a Laila. — Vejo você lá dentro.

— Fiquem à vontade.

Laila vai se sentar em nossa mesa habitual. Maggie já está lá, guardando lugar para nós. Gostamos de ter uma mesa só nossa.

Dave diz:

— Você não quer se sentar com meus amigos?

— Hum... — Olho para as minhas amigas.

— É que ontem lá no shopping a Caitlin comentou que você parece ser gente boa... mas ela não a conhece bem e gostaria de conhecer melhor...

— Ah... — Tento demonstrar que isso não me diz nada. Mas todo mundo sabe que, quando o garoto que você gosta quer que você conheça os amigos dele, isso quer dizer muita coisa. Especialmente em se tratando de Caitlin, que normalmente faz questão de deixar claro que eu não existo. Sim, eu gostaria de me sentar com eles! Mas me lembro da primeira regra da irmandade: primeiro as melhores amigas, depois os namorados. Simplesmente não posso abandonar Laila e Maggie. Não vou fazer essa concessão.

— Pode ser na semana que vem? É que eu prometi a Maggie e Laila...

— Sem problemas — diz Dave. — Vai comprar alguma coisa?

Balanço o saco com o lanche na frente dele.

— Ah, já comprou — comenta, sorrindo. O cabelo loiro cai sobre os olhos e Dave o põe no lugar com seu jeito sexy.

— É, já comprei.

Estou com a boca seca.

— Venho já. — E ele volta para a fila.

Vou me sentar na frente da Maggie.

— Cuidado, pessoal — diz Maggie —, parece que hoje tem polvo.

— O que é esta coisa? — Laila examina a bandeja.

— Já disse, é polvo — Maggie repete.

— Não seria macarrão? — pergunto.

— Vocês não ouviram? É *pol-vo!* — Maggie repete em voz alta. — É polvo!

— Adoro! — digo.

Laila observa:

— Viram o sr. Perry? Tinha que fazer aquilo?

O sr. Perry deu um teste surpresa na aula de cálculo, e estamos apenas no terceiro dia de aula. Quem faz uma coisa dessas?

— Pois é. E depois ele se espanta que a gente não esteja preparada. Ora, faça-me o favor! — comento.

— Vamos ter que tomar cuidado com ele — diz Laila. — Ele parece ser mais sádico que o sr. Carver.

— Como se fosse possível — comento. — Espere. Preciso contar que...

— Sara?

Ergo a cabeça e vejo que Caitlin veio nos agraciar com sua presença. Ela e os dois garotos mais populares da escola. Embora Dave tenha me contado o que ela disse a meu respeito, era difícil acreditar que ela não tivesse vindo até aqui só para me humilhar.

Dou uma olhada para Maggie. Ela os encara como se fosse meu guarda-costas e eles estivessem me ameaçando.

— Sim? — respondo com cuidado.

— Você está conversando com o Dave, não é?

O jeito como ela sorri para mim parece tão sincero que todos diriam que ela está sendo gentil. Quero acreditar no que Dave disse, mas sinto que a qualquer momento ela vai me dizer para me afastar dele, porque já o reservou para uma garota linda que o merece mais do que eu. Uma nerd inútil como eu.

— Sim — eu digo. Alex, que é o capitão do time de basquete e namorado de Caitlin, e Matt também estão sorrindo para mim.

Alex diz:

— Sempre achei você legal.

— É verdade — Matt acrescenta. — Só é um pouco tímida.

Os garotos mais populares da escola estão me dizendo que eu sou legal?

Caitlin continua sorrindo e me olhando como se me visse pela primeira vez. Talvez ela nem saiba que costuma me ignorar.

— Você podia se sentar conosco — ela diz.

A garota mais popular da escola está me convidando para eu me sentar com ela? Isso não está acontecendo. E eu respondo "Sim". Parece que só sei dizer isso.

Dave chega com seu lanche. Coloca a mão em meu ombro e se senta ao meu lado. Enquanto ele conversa com Alex e Matt, eu procuro por Laila. Ela me olha com desaprovação. Prefiro não olhar para Maggie. Sei o que ela está pensando.

— Eu ia dizer a Sara que a gente pode sair juntos qualquer dia — Caitlin diz a Dave.

— Claro — ele concorda.

— Legal — ela sorri. — A gente combina.

— Até mais, cara — Matt diz a Dave.

— Até.

Caitlin pega na mão de Alex.

— Vamos, Pooky.

Como assim, *Pooky?*

Eles se afastam como se fossem muito importantes.

Laila está olhando além do Dave.

— Bem, Pooky — ela diz —, é melhor começar a comer. Seu polvo está esfriando.

Dave lança um olhar esquisito para ela. Foi só por um segundo, mas deixa claro que ela não deve caçoar de seus amigos.

Dave morde o sanduíche e faz uma careta.

— Que é isto?

— Pensei que você gostasse de polvo — digo.

— Gosto, mas isto é outra coisa. Iscas de avestruz, talvez.

— Não, não — diz Laila. Ela prova um pedaço. — É enguia. Definitivamente, é pele de enguia.

— Vocês estão malucos — Maggie anuncia. — Vou pegar um sanduíche.

— De frango — Laila avisa.

— Acho que não tem de frango — Maggie responde.

— Deixa que eu vou — me ofereço. — Preciso de outro sanduíche; a gelatina caiu sobre o meu.

— Pega um pra mim? — Dave me dá uma moeda. — Uma contribuição.

Vou para a fila, mas antes passo pela mesa dos arrogantes. Prendo a respiração, aperto o passo e abaixo a cabeça. Mas os espio pelo canto do olho. Uma garota pega no braço da outra e aponta para mim. Cochicham e as duas dão risada. Uma delas me chama.

Sei que Laila e Maggie não estão me vendo neste momento. Pessoas que sempre esnobaram você e de repente parecem suas velhas amigas não me interessam. E elas também não se interessam por mim.

Mas, depois de ser ninguém por tanto tempo, gosto de ser alguém. Posso até me viciar.

Capítulo 8

Não que eu esteja desesperado

4 de setembro, 19h23

— Não acredito.

Estamos ouvindo *Disintegration* do The Cure no modo repetir.

Mike estuda o tabuleiro de xadrez.

— Não acredito! — digo. — Outra vez? Onde foi que eu errei?

— Bom, já que você pergunta... — diz Mike. — Primeiro, você não teve coragem de falar com ela. Segundo, você voltou das férias sem nenhum plano. Dave tinha um plano. Ele queria Sara. Você não tinha *nada.* — Mike empurra a cadeira para trás, apoia-a nas duas pernas e balança. — Nada. Zero. Você não teve coragem de ir falar com ela. Eu bem que avisei que isso podia acontecer.

— Obrigado. Agora estou me sentindo muito melhor. — Movo o peão duas casas.

— Eu não entendo. Você nunca teve problema com a Cynthia, com quem todo mundo quer sair. Por que está sendo tão difícil com a Sara?

— Ela é diferente. É complicado.

— Tudo bem — diz Mike. — Você fez tudo errado. Mas ainda tem jeito.

— Tem?

— Ah, tem. Olha, vou lhe dizer o que você tem que fazer; mas, se eu disser, você jura que faz?

Mike é a única pessoa em quem eu confio para me aconselhar com as garotas. Sua filosofia de namoro se baseia em quantidade e não em qualidade. Então ele é muito experiente. E a gente deve confiar nos mais experientes.

— E o que eu tenho que fazer? — pergunto.

— Prometa primeiro que vai fazer.

— Esquece. Ela já está saindo com o Dave.

— Qual é o seu problema, cara? Por que tanta covardia?

— E se ela não gostar de mim?

— Você não sabe. Ele acabou de chamar a Sara para sair, quando, *terça-feira?* É impossível que em dois dias eles já estejam namorando. Você tem as mesmas chances que ele.

— Tudo bem, mas é com ele que ela está. — Movo minha torre. — Babaca!

— Você tem que entrar nesse jogo como se fosse o melhor do mundo. — Mike move a torre dele. — É só uma questão de estratégia.

Mike empurra a minha pedra para fora do tabuleiro. Ele é um mestre no xadrez. Em geral, nós somos geniais, mas ninguém ainda percebeu. Assim como eu, ele também rejeita as limitações acadêmicas. Ao menos até a mãe dele ameaçar que não haverá mais ensaios da banda na casa dele, e então ele se vê obrigado a estudar.

É um mistério para todo mundo o fato de eu ser tão preguiçoso. A orientadora vive dizendo que as minhas notas não correspondem ao que eu poderia render e quer saber por que não faço alguma coisa por mim mesmo. Como se fôssemos encontrar isso na vida. Talvez se as aulas não fossem tão inúteis eu teria algum interesse. O que eles não entendem é que muita gente não vai bem porque a escola não tem nada de interessante a oferecer. Por que não a tornam mais interessante para a nossa vida? Ainda assim sou bom nos testes e nos questionários. São muito fáceis. O fato de eu não fazer lição de casa descompensa o resto, e eu acabo com média B ou C todos os anos. O que para mim está ótimo.

Agora estou querendo convencer a pessoa mais inteligente da classe de que também sou inteligente. Ao menos o suficiente para que ela aceite ficar comigo.

Eu desisto.

— O Dave ganhou. Tenho que aceitar isso e ficar na minha. Mas a ideia de me afastar de algo que nunca tive é, antes de tudo, deprimente. — Não consigo sair do lugar.

— Que merda, cara. Faça ela prestar atenção em você.

— Como?

— Vamos bolar uma estratégia para vocês se aproximarem.

— Arram.

— Que tal... quando ela for trocar o material na sala de armários, você a segue para saber aonde ela vai. Ou procure saber quais são os horários dela.

— Só isso? E fingir que nos encontramos por acaso?

— Ora, puxe conversa. Como se fosse qualquer outra pessoa!

Aí é que está. Todas as outras garotas com quem me envolvi tomaram a iniciativa. Não tive que fazer nada para elas me quererem.

— Veja a reação dela — diz Mike. — Se ela gostar, converse um pouco mais no dia seguinte. Se o rejeitar, você fica sabendo que não conseguirá nada.

— É esse o seu grande plano?

— Não, cara. Esse é o meu método pega-garotas. As mais disponíveis. No seu caso, você vai precisar de uma coisa mais radical.

— O quê, por exemplo?

Mike titubeia. — Aposto que, se eu disser, você não vai fazer.

— A esta altura, farei qualquer coisa. — Nem preciso olhar o tabuleiro para saber que perdi o jogo. — Não que eu esteja desesperado.

— Não, claro que não. Você? — Mike ri.

— Tudo bem. Ande logo com isso.

— Se você não fizer, vai ter que lavar meu carro.

— Eu ainda nem sei o que é.

— Problema seu. Ou aceita ou nada feito.

Lembro-me de que estou desesperado.

— Tudo bem. Diga logo o que eu tenho que fazer.

— E encerar.

— Ei!

— E encerar! — ele repete, com mais ênfase.

Pego o meu rei.

— Tudo bem. Mas não pode ser nada que eu não faria.

Mike finge estar ofendido.

— Não sou seu melhor amigo?

— Vou me lembrar disso.

— Olha, as pessoas pagam por um conselho desses. Tem gente que escreve livros de autoajuda sobre isso, e eu estou dando um conselho de graça.

— Por isso é que você anda comigo — digo.

— Fechado?

— Espere. O que eu ganho se eu fizer?

— A mesma coisa.

— Fechado.

— Ok — Mike começa —, o que você vai fazer é...

Capítulo 9

A ilha remota

5 de setembro, 17h32

— Aqui está. — Despejo uma enorme sacola de compras no meio da cama king-size de Maggie. Eu juro, a cama dela é maior que meu quarto. — Minha calça flaire, a calça de cintura baixa, os jeans skinny... ah, e uma calça de cintura baixa 38...

— Pensei que você usasse 36.

— Uso, mas com a 38 a bunda fica um pouco menor.

— Isso é bom, porque...

— Porque a minha bunda é a maior de todas?

Estamos escolhendo o que devo usar para o meu grande encontro com Dave, amanhã. Melhor dizendo, vou experimentar algumas roupas de Maggie, e ela me ajudará a decidir.

— Ah, esta ficará ótima em você. — Maggie me passa a calça flaire.

— Tem certeza?

— Alguma vez dei um conselho errado? Vista. — E ergue a calça para examiná-la melhor. — Ela combina com, hum... espere. — Maggie entra em seu imenso closet. — Tenho uma blusa que vai fazer o Dave subir pelas paredes.

Dou risada. Mas não acho graça. Isso me faz lembrar o septuagésimo terceiro motivo para eu me sentir tão nervosa com esse encontro. É a primeira vez que saímos juntos; e se o Dave quiser muito mais do que estou acostumada? E se ele perguntar se ainda sou virgem?

Me jogo na cama de Maggie e empilho os travesseiros sobre mim. Não sei de mais nada. É muito diferente de tudo que eu vivi com Scott. Definitivamente, Scott *não* me causava frio no estômago. Quando ele tentava avançar o sinal, era mais fácil controlar. Bastava afastar a mão boba e ele obedecia. Já o Dave...

— Ok. — Maggie traz uma pilha de blusas. E escolhe uma frente única vermelha. — Prove esta primeiro.

— O quê? Fala sério!

— Qual é o problema?

— Isso não sou... eu.

Não quero magoá-la, mas temos ideias muito diferentes sobre o que é ser sexy. Em se tratando de roupas, Maggie frequenta a escola de sedução Menos É Mais. Enquanto eu sou mais Jeans e Camiseta. Este é um território absolutamente desconhecido para mim. Jamais me vejo em um anúncio da Calvin Klein.

Pego a blusa nas mãos. Enquanto imagino como ficaria em mim, ouço a porta bater no andar de baixo. Em seguida, ouço vozes. São os pais de Maggie brigando. Isso tem acontecido muito ultimamente.

— Lá vão eles outra vez — diz Maggie. — E meu pai está chegando de viagem. Pelo jeito, esta será longa.

O pai dela viaja muito. Ele é analista de sistemas e presta consultoria para grandes empresas. Ganha uma quantidade absurda de dinheiro, por isso Maggie tem seus próprios cartões de crédito e a mãe dela não precisa trabalhar. Gosto de Maggie como uma irmã, mas não a invejo. Talvez sua vida não seja tão boa quanto parece.

— Esta dará certo — Maggie comenta.

Visto a blusa e me olho no espelho. Parece mais um cinto que uma blusa.

— Sem chance — decreto.

Maggie me passa um top de seda cor-de-rosa bordado com paetês.

— Sabia que você é muito sexy? Essa blusa ficou perfeita.

Assim é Maggie. Ela sai com os rapazes mais bonitos e nunca levou um fora na vida. Já fez sexo com dois deles e não se arrepende. Para ela o amor é uma aventura, ao passo que para mim é como repor alguma coisa que está faltando.

Ao menos por enquanto.

— Tem alguma dica para me dar? — pergunto.

— Claro. — Maggie se joga sobre dois travesseiros gigantescos. — O que você quer saber?

É claro que Maggie já me contou sobre suas transas. O sexo, que para mim já foi uma possibilidade remota, agora se tornou real. Preciso conhecer mais detalhes.

— Como é? A primeira vez?

— Calma. Ninguém vai pra cama com alguém no primeiro encontro.

— Não estou dizendo que seja amanhã. Estou falando do futuro.

— Você acha que vai transar com o Dave?

— Não sei. — Sorrio encabulada. — Talvez.

— Quem diria!

— E então, como é?

— Bem, a primeira vez dói.

— Muito?

— Depende. — Maggie muda de posição sobre os travesseiros.

— Você ficou nervosa?

— Não muito. Eu queria que acontecesse... a minha vez tinha chegado.

— Como você sabia?

Maggie balança a cabeça.

— Não sei... eu sabia e pronto.

Não que eu também não queira, mas não sinto que queira tanto assim.

— Dói o tempo todo? — insisti.

— Não, só no começo. Mas logo passa.

— Então... e se daqui a quatro meses ele estiver impaciente, e eu achar que ainda não é hora?

— Então não faça.

— E se eu achar que estou pronta pra transar, mas na hora H percebo que não estou e desisto justo quando ele estiver...

— Ei, relaxa! Você pensa demais.

Maggie joga um top de renda turquesa para mim.

— Esse é o problema dos nerds. Vocês vivem analisando tudo.

— Não estou analisando. Estou só...

— Olha, pare de se preocupar. Deixe as coisas acontecerem naturalmente. — Maggie examina com cuidado a roupa que experimentei. — Você fica bem de rosa. Mas prove esta, um pouco mais justa.

Pego a microblusa e tento me enfiar dentro dela.

— Só faça o que *você* quiser — Maggie me aconselha. — Ninguém pode forçá-la a nada.

— Eu sei.

— E não se esqueça das balas de menta. Ah, agora sim! É essa a blusa!

— De jeito nenhum.

— Por que não?

— É muito justa. — Tiro imediatamente.

— Mas é assim que tem que ser. Ela fica bem em você.

— Não, não fica. Prefiro a cor-de-rosa.

— Mas a turquesa tem tudo a ver com você.

— Hum... não.

— Bom... leve sempre uma camisinha na bolsa para quando chegar a hora. Nunca se sabe quando vai acontecer. Não conte sempre com ele.

Maggie não só usa preservativo como também pílula anticoncepcional. Ela acredita em duplo controle de natalidade.

— E se ele quiser que eu vista a camisinha nele?

— Sem problema.

— Como faço isso?

— Ah, é fácil. — Maggie mostra como se não fosse nada. — Primeiro, você tem que colocar a camisinha do lado certo ou não vai desenrolar. Depois, você amassa a ponta para sair o ar...

— Entendi.

— Aí, você começa a desenrolar, mas tem que ser até o fim. Acredite: você não vai querer que nada escape.

É muita coisa para saber: de que lado desenrolar a camisinha no escuro, se vai doer, como vou me sentir depois. Será que vale a pena?

Prefiro falar sobre o encontro.

— Balas de menta e o que mais?

— E não fique acanhada quando reconhecer O Olhar. Você saberá que está louca por um beijo.

— Finalmente — digo. — Terreno familiar.

— Como se o Scott já tivesse olhado para você desse jeito — Maggie brinca. Ela está convencida de que ninguém pode ser inteligente, apaixonado e presidente do clube de xadrez. Duas coisas, tudo bem, mas as três juntas...

— Não foi culpa dele eu não querer mais namorar — comento.

— E nem tem culpa de não ser tão atraente.

— Ah, até que ele é bonitinho!

Maggie ergue uma sobrancelha.

— Tudo bem, mais ou menos — murmuro. Consulto o relógio. — Já é tarde. — Enfio o jeans dentro da bolsa. — Vou embora.

— Ei — Maggie me chama quando já estou na porta.

Eu me viro a tempo de pegar a blusa rosa, que voa em minha direção.

Na saída, passo pelo quarto dos pais dela. Eles estão falando mais baixo, mas continuam brigando. Tenho vontade de parar e ouvir, mas não faço isso. Esse assunto não me diz respeito. E não estou a fim de constatar que os pais que eu escolhi como exemplo de casal não são felizes.

Capítulo 10

A prova viva do impossível

5 de setembro, 9h43

Nunca imaginei que fosse tão difícil conversar com uma garota.

Estamos na mesma classe de Teoria Musical. O problema é que os pares foram formados no primeiro dia, e eu ainda não tive chance de conversar com a Sara. Ela se senta do outro lado da sala com a Laila. Eu poderia puxar conversa com ela depois da aula, mas não é tão fácil. Como é que a gente se aproxima de uma garota que gosta de outra pessoa?

A filosofia de Mike é que, se uma garota gosta de alguém e a gente quer que ela goste da gente, é melhor observar o que a pessoa de quem ela gosta está fazendo. E, então, você faz a mesma coisa quando estiver com ela. A lógica disso é que, se a garota gosta do cara, ela gosta automaticamente de tudo o que ele faz. O plano que Mike traçou para mim é fazer exatamente o que Dave fizer. Nesse caso, eu tenho que me aproximar de Sara, conversar um pouco com ela e convidá-la pra sair. Como faz apenas três dias que Dave caiu como uma bomba na minha vida, tecnicamente não estarei passando ninguém para trás. Dave é um babaca que não merece Sara. E Sara não é garota para ele.

Mas ainda não encontrei uma boa desculpa para me aproximar dela. Decidi, então, cruzar acidentalmente-de-propósito com ela no saguão. Josh soube por Fred que ela tem desenho na terceira aula. Só há um caminho para ela chegar à sala de artes. Então, vou para a escada, onde a probabilidade será maior. De hoje não passa.

No final da segunda aula, começo a guardar o material disfarçadamente. O sinal toca e eu sou o primeiro a sair da sala. O saguão está vazio. Me posiciono no alto da pequena escada que desce para a sala de artes.

Espero.

As pessoas que passam esbarram em mim.

Espero um pouco mais.

Então a vejo.

Começo a descer a escada.

Ela olha para mim.

Sorrio para ela.

Meu lábio superior cola nos dentes da frente.

— Oi! — eu digo.

E então tropeço no degrau. Meus livros se espalham por todo lado.

Nunca imaginei que cairia na escada. Mas aqui estou. Sou a prova viva do impossível.

Estendo as mãos para aparar a queda. Meus dedos escorregam no degrau. Algumas pessoas que vêm atrás tentam ajudar. Bato a cabeça no corrimão. As páginas do meu fichário, que se abriu quando caiu no chão, se espalham por toda parte.

Sara se abaixa.

— Você está bem? — pergunta.

Eu me levanto rapidamente, como se nada tivesse acontecido.

— Estou ótimo.

— Toda vez que eu te encontro, você está batendo a cabeça.

E toda vez que eu te encontro, gostaria que a cabeceira da minha cama estivesse batendo na parede. Com você deitada nela.

O sinal toca.

— Tem certeza de que está bem? — Sara insiste.

— Estou.

— Quer que eu ajude a recolher suas coisas?

— Ah. Elas caíram?

Sara ri. É um bom sinal. As meninas não costumam ter senso de humor.

— Tá tudo bem — eu digo. — Obrigado.

— Tá. Depois a gente se vê.

— Até mais.

Fico olhando ela se afastar. Perdi a única chance que eu tinha. E banquei o idiota por nada.

Poderia ser pior?

Quando todas as páginas já estão dentro do fichário, me dou conta de que deveria estar na aula de cálculo. Estou hiperatrasado. Bom, o que mais eles querem? Nós também estamos vivos. Seja quem for que definiu que o intervalo entre uma aula e outra seria de apenas cinco minutos devia trabalhar em uma escola com dez alunos, no máximo. E isso em 1908. Não que eu seja o mais pontual dos alunos, mas...

Os professores nem sempre são muito sensíveis no que se refere à nossa vida. Quanto mais penso nisso, mais me aborreço. Agora, por exemplo, estou atrasado e o sr. Perry vai querer que apresente a licença para chegar atrasado, que eu não tenho, e vai perguntar: "Por que se atrasou?". O que ele espera que eu diga? "Desculpe, sr. Perry, eu estava perseguindo a garota que mais quero na vida e acabei passando pela maior humilhação." É isso. Talvez funcione.

Entrei na classe como se nada tivesse acontecido.

Todos olham para mim.

Eu me sento.

O sr. Perry interrompe o que está dizendo e fica olhando para mim.

Permaneço em silêncio.

Abro o caderno em uma página em branco. Escrevo a data como se estivesse tudo normal.

— Tobey? — É o sr. Perry.

— Sim?

— Você tem licença?

O roteiro é sempre o mesmo. Não muda nada.

— Não. — E tenho vontade de levantar desta cadeira e gritar: "O senhor não acha que se eu tivesse essa maldita licença eu não teria mostrado ao senhor assim que entrei por aquela maldita porta?". Então eu fecharia meu caderno e sairia triunfalmente pela mesma porta por onde entrei. Mas, se eu fizer isso, vou me ferrar.

Ele insiste:

— Por que se atrasou?

— Desculpe.

Todos estão olhando para mim.

— Desculpas aceitas, mas você não respondeu à minha pergunta.

— Precisei ir ao banheiro.

— Sem pedir licença?

— Tem razão. Foi uma emergência. E o senhor não vai querer saber por quê.

Todo mundo ri. O sr. Perry fica constrangido.

— Da próxima vez que se atrasar, não deixe de apresentar a licença. — Ele volta a falar sobre alguma coisa que, presumo, seja de vital importância para a nossa vida.

Depois que todos anotam o que ele escreveu no quadro e ninguém ergueu a mão para responder a uma pergunta, o sr. Perry nos manda tirar o dever de casa e abrir no número 9.

Todos pegam seus livros, abrem nas páginas que podem ser, ou fingem ser, as do dever de casa, até o sr. Perry descobrir que não são. Nem me dou ao trabalho de fingir que estou procurando algo que sei que não tenho.

O sr. Perry olha para mim.

— Onde está seu dever de casa?

— Não fiz.

Eu nunca faço, e ele sabe disso. Quanto tempo ainda vai levar para se convencer?

— Por que não?

— Porque não quis aborrecê-lo com um comportamento inédito.

O silêncio é tão profundo que consigo ouvir a água da fonte caindo lá fora.

O sr. Perry vem lentamente na minha direção, como se não houvesse mais vinte pessoas na sala.

Ele está vermelho.

Soltando fogo pelas narinas.

Ele apoia as duas mãos na minha carteira e diz:

— Não gostei do seu tom.

— Não sabia que eu tinha um tom.

— Não banque o engraçadinho — ele ameaça.

Percebo que isto vai evoluir para um problemão. O sr. Perry devia usar um adesivo: Aviso aos Pais. Se ele pensa que chegar atrasado e não fazer o dever de casa é caso de vida ou morte, está precisando rever seus conceitos.

Então pega o cartão em formato de transferidor, onde está escrito o nome dele, e sacode na minha frente.

— Vá para a sala da orientadora — diz. — Estarei lá depois da aula.

Pego o cartão. Fecho o caderno. Protestar para quê?

Quando chego à sala da orientadora, a sra. Everman me recebe imediatamente. Ela é a única pessoa desta escola que se importa com o que acontece conosco.

— Ei, Tobey. — Ela sorri. — Aceita uma bala?

— Não, obrigado.

— Veio falar comigo?

— Sim, mas não porque eu queira.

— Ah, bom... Sente-se, por favor.

Eu me sento na poltrona. O escritório tem muitos pôsteres, plantas e animais embalsamados. O rádio está sintonizado numa música clássica.

— E então, o que houve? — ela pergunta.

— Eu cheguei atrasado à aula de cálculo e o sr. Perry mandou que eu viesse para cá e esperasse por ele.

A sra. Everman não entende.

— Por que ele mandou você aqui? Só porque se atrasou?

— Eu não tinha licença para me atrasar.

— Ah, bom...

— Ou a gente mostra uma licença para o sr. Perry ou ele tem um ataque.

— E por que você não tinha licença?

— Porque foi só um atraso.

— E por que você se atrasou?

Não havia outro jeito de explicar tudo à sra. Everman sem contar toda a história da Sara. É claro que é para isso que servem os orientadores, mas não me sinto à vontade para me abrir com ela.

— Perdi a noção do tempo — preferi dizer.

— Mas você tem relógio.

— É... nem notei.

— De novo essa história. — A sra. Everman começa a apertar uma dessas bolas de borracha antiestresse que está sobre a mesa. — No ano passado, seus professores reclamaram que você não fazia o dever de casa. Vai fazer a mesma coisa este ano?

— A senhora me conhece. Fazer dever de casa é contra a minha religião.

— E que religião é essa?

— Niilismo.

— Niilismo não é religião. É uma corrente filosófica.

— É mesmo? Eu nem sabia!

— Tobey, procure falar sério ao menos enquanto estiver aqui. Eu quero saber o que você pretende fazer para terminar o ensino médio com notas decentes.

— Além de terminar?

— O que o faz pensar que entrará numa boa faculdade se não se esforçar?

— Sempre tiro pelo menos média C. A senhora sabe disso.

— Sim, mas isso o satisfaz? Nós dois sabemos que você pode render muito mais.

— Está bom assim — digo.

A sra. Everman suspira e balança a cabeça.

— A vida é muito mais do que apenas estar vivo, Tobey.

— Para mim está bom assim.

— Para fazer 1.450 pontos no teste de ingresso para a faculdade é preciso ter média muito mais alta. E eu tenho certeza que algumas escolas adorariam recebê-lo.

— Mas...

— Chega — a sra. Everman me interrompe. — Já tivemos esta mesma conversa outras vezes. — Ela tenta me convencer sobre a faculdade desde que eu era novato. Estou cansado de dizer que não estou interessado. Ela quer que eu reconheça que não estou fazendo as escolhas certas, mas até hoje não conseguiu. — Isso é sério. Pense bem. Pense muito.

— Tudo bem.

— Você sabe onde me encontrar.

Chego à aula de Teoria Musical aborrecido depois de passar pelo sr. Perry, pela orientadora e escrever uma redação sobre o tema "O que fiz está errado e jamais se repetirá". A tinta da minha caneta começou a vazar. Canetas vagabundas são assim mesmo. Preciso comprar uma caneta melhor depois da aula. Olho para Sara. Ela está rindo de alguma coisa que Laila disse.

Então tenho uma ideia. Um plano que pode dar certo. Não quero mais bancar o perseguidor mentalmente perturbado. Sara precisa saber quem eu sou.

Mas, para que tudo dê certo, preciso conversar com Laila.

Capítulo 11

Quando a gente se envolve

6 de setembro, 15h34

Decido que a única maneira de me acalmar, antes que Dave venha me buscar para sair, daqui a três horas, vinte e cinco minutos e dezessete segundos, é desenhar. Encho um copo d'água, pego meus lápis de cor e minha aquarela e vou me sentar no terraço. Tudo o que preciso está sobre a cadeira de vime: glitter, cola, tesoura, revistas *Jane*, CD player e o livro *Visualização Criativa*. Estou na parte em que tenho que fazer um mapa do tesouro do meu relacionamento ideal. O conceito é que, se eu criar fisicamente uma descrição do garoto de quem eu gosto, se puder vê-lo com clareza no meu coração e na minha cabeça, eu me abrirei para que ele entre na minha vida. Como já sei que esse garoto é Dave, basta imaginar, pelo pouco que conheço dele, como quero que ele seja. Quando estivermos namorando, eu mostrarei a ele, e Dave saberá que eu já o conhecia antes mesmo de nos conhecermos.

Ouço o meu CD favorito do James Taylor enquanto faço uma moldura amarela nas margens para que a página fique mais iluminada. Até agora o meu mapa do tesouro é uma colagem de palavras recortadas de revistas que distribuí em ângulos diferentes por toda a página. São palavras como "romântico", "inteligente", "belo" e "introspectivo". Misturo rosa e azul-claro e faço uma sombra rosada ao redor das palavras.

Espalho glitter em volta. Então descrevo como me sentirei quando estiver ao lado de um garoto maravilhoso. Por exemplo, que sou a garota mais bonita que ele já viu. Que sou importante na vida dele.

Folheio a *Jane* deste mês procurando outras palavras e imagens para descrevê-lo. Recorto um casal no alto de uma montanha apreciando o pôr do sol. Recorto "irresistível" e "engraçado". Recorto também um símbolo do yin e yang. James canta que o segredo de amar é abrir o coração. E eu imagino um encontro mágico esta noite, com muito romance, emoção e euforia junto à pessoa que escolhi. Jamais experimentei esse sentimento, mas imagino que seja muito intenso.

Estamos no restaurante e eu me sinto segura. Quando Dave foi me buscar, ele disse que eu estava linda e segurou na minha mão durante todo o filme. Disse também que esperou por esta noite a semana toda. Então faço a pergunta que tanto me atormentou.

— Por que você não me ligou no verão?

— Eu fui para a casa do meu tio, em Boulder. Como antes de me mudar para cá eu já tinha feito um trabalho de verão lá, achei mais fácil voltar do que procurar alguma coisa aqui.

Saber que existiu uma motivo real para ele não ter me procurado foi a melhor parte da noite.

— Se eu estivesse aqui — Dave estende o braço sobre a mesa e segura na minha mão —, teria procurado você.

Não caibo em mim de tanta felicidade.

Mas estou ficando nervosa com o inevitável beijo que acontecerá mais tarde. Gostaria de estar com mais fome. Quando vou fazer o pedido à garçonete, noto que Dave não tira os olhos de mim. Não sei por que isso me deixou tão insegura.

— Então... — digo para Dave.

Ele sorri.

Eu sorrio de volta.

Não consigo pensar em nada para dizer.

— Foi bom ter chovido ontem — ele diz. — Eu estava morrendo de calor.

— Não faz calor no Colorado?

— Não tanto. E não é um calor tão úmido como aqui.

— Ah, me lembro disso da aula de geografia. É mais ou menos assim... quando o ar está seco, tem menos vapor de água, então sobra espaço para o suor da gente evaporar.

— E por que a gente sente menos calor?

— Porque, quando o suor evapora, a gente resfria.

— Eu sabia. Quis saber se você sabia — ele sorri.

Então Dave começa a falar do basquete, explica as regras, as regras especiais e tudo mais. Não me interesso muito por esportes, mas deixo que ele fale porque fica ainda mais bonito. Então o pedido chega. E as piores coisas acontecem. Quando vou pegar o frasco de mostarda, minha mão esbarra no copo de soda de Dave. Ele dá um pulo na poltrona para evitar que o líquido caia em seu colo. Mas a manga da camisa ficou ensopada.

— Ah! Sinto muito!

— Tudo bem — diz Dave.

Eu puxo alguns guardanapos de papel do suporte.

— Deixa eu...

— Não, tá tudo bem. Eu me arranjo.

Ele já está voltando do banheiro, e eu ainda não encontrei nada interessante para dizer.

— Está pensando em quê? — Dave pergunta.

— Que eu gosto desta foto.

É uma antiga rua de pedras em algum lugar na Europa. E muitas plantas penduradas nas janelas.

— E eu gosto daquela — ele indica atrás de mim.

Quando me viro para olhar, que decepção: *Ele só pode estar brincando.* É uma pintura malfeita, um colorido exagerado, uma paisagem ridícula. Totalmente impessoal e com cores muito feias. Lembro-me daquele sujeito da televisão que faz aquelas pinturas horríveis para você pintar junto. Quem quer fazer aquilo?

— Ah, não brinca — dou risada.

— Não — Dave insiste —, é sério.

— Ah! — Olho outra vez. — É... é bonita.

Não é bonita. É horrível. Todo mundo sabe que num relacionamento as duas pessoas têm interesses divergentes. Não se pode esperar que o outro aprecie as mesmas coisas que você.

— Sabe — ele fala e mastiga ao mesmo tempo —, nunca pensei que você quisesse sair comigo.

— Por que não?

— Bom, você saía com o Scott, e ele... ele é tão inteligente...

— Então por que você pediu o meu telefone?

— É que eu sempre achei você bonita. Lembra quando me sentei do seu lado?

Assenti com a cabeça. Se ele soubesse que me lembro dos mínimos detalhes...

— Estava torcendo para que você gostasse de mim, mas não sei se sou tão inteligente.

— Você é inteligente!

— Sou — ele aperta a minha mão —, mas você é muito mais. — Ele solta minha mão e acaricia meu rosto. — E muito bonita também.

Vou explodir de felicidade.

Quando chega a conta, eu me lembro do que Maggie me disse. Que, se Dave me convidou para sair, é ele quem paga. Eu não devo me oferecer para pagar a minha parte, como sempre faço.

Meus lábios estão secos e rachados. E eu não trouxe o ChapStick. Antes de nos beijarmos, vou tentar umedecê-los sem que Dave perceba.

Dave paga a conta. Eu respiro aliviada.

Meio que desligo durante o trajeto para casa. Nenhum dos dois fala muito. Fico nervosa só de pensar no beijo. Ele também deve ficar.

Vamos andando de mãos dadas até a varanda. A luz está acesa. Não sei se na casa vizinha tem alguém nos olhando.

— Obrigada pelo jantar. E pelo cinema. Gostei muito.

— De nada. Eu também gostei — diz Dave.

Olho-o fixamente. Seus olhos castanhos escurecem à noite. O que ele estará pensando?

Espero pelo que vai acontecer.

Dave se aproxima de mim. Eu me aproximo dele.

E então ele me beija.

No *rosto.* E diz:

— Bom, nos vemos segunda-feira.

— Tudo bem. Até mais.

Ele vai embora e eu continuo onde estou. Esperando por um beijo de verdade.

Capítulo 12

Mais decidido que nunca

6 de setembro, 19h58

— É um plano danado de bom — Mark anuncia. Ele experimenta as cordas e afina outra vez.

— Plano pra quê? — Josh pergunta. — Por que simplesmente não vai lá e convida ela pra sair?

Isso põe Mike na defensiva. Ele gosta do plano que bolou.

— Qual é o problema de ter um plano? Há três anos, quando todo mundo achava que o The Cure ia se separar, eles lançaram *Bloodflowers*. Por quê? Porque eles tinham um plano. E veja no que deu.

— Beleza — diz Josh. — Mas, quando o Tobey deixar a Sara com os nervos à flor da pele, e ela começar a odiá-lo, não digam que não avisei.

— Você *está* obcecado — Mike fala para mim.

— Não sei o que está acontecendo comigo.

Tento não pensar que a Sara e o Dave estão juntos neste exato momento. Erro meus acordes. Esqueço a letra das músicas. E são letras de minha autoria.

— Cara — diz Mike. — Para de se estressar. Você sabe do que é capaz. A Cynthia já estava sem calcinha antes de você perguntar se ela queria uma camisinha de efeito retardante ou das que brilham no escuro.

— Meu herói! Gostosão! — Josh brinca.

A cada três segundos, só penso em transar com Sara. Mas não gosto de falar nesses termos com meus amigos, porque parece que a estou desrespeitando. Conto tudo para eles quando se trata de outras garotas. Mas Sara é diferente.

Josh bate nos pratos.

— Vamos tocar ou não vamos?

Estamos ensaiando para a Batalha das Bandas. Temos que tocar só uma música. Duas, no máximo, se ficarmos para a final. Mas ainda temos muito ensaio pela frente.

Repassamos aquela do Led Zeppelin que Mike tem certeza de que vai emplacar. Eu discordo. O vocal não está lá essas coisas.

— Acho que aquela com solo de bateria é melhor — Josh sugere de trás da sua bateria.

— Não diga! — diz Mike. — Por que será?

— São os solos pesados de bateria que animam a festa. Todo mundo sabe disso. — Josh bate uma baqueta na outra.

— Então, como é que...!

— Michael!

É a mãe de Mike sinalizando que o ensaio terminou. Como hoje é sábado, ensaiamos até ela voltar das compras. Durante a semana ensaiamos depois das aulas, até ela chegar do trabalho. Porque é hora de jantar e fazer o dever de casa. Ao menos para Mike. A mãe dele paira sobre ele como uma eterna nuvem carregada sem nenhuma possibilidade de bom tempo. Se ele não fizer toda a lição, não podemos usar a garagem. Ela confere tudo, página por página. Por isso ele tira boas notas. Mas é um vadio de alma, como eu e Josh.

A porta se abre de repente. A luz da cozinha invade a garagem.

— Olá, rapazes.

— Olá, sra. Panalba — Josh e eu dizemos juntos. Os saltos dos sapatos dela ressoam no chão de cimento.

— Como está a mundialmente famosa MindFlame?

Sinto um leve calafrio toda vez que ouço alguém dizer o nome da banda. Foi ideia minha. É muito melhor que o What Jesus Would Do que Josh queria. Ou Jeans Creamers, de Mike. Sinto que a nossa banda é diferente. Eu diria que somos não convencionais. Mas tenho a forte sensação de que estamos à beira de uma virada. Além disso, temos a reputação de botar pra quebrar com os nossos covers de rock clássicos. Geralmente tocamos em reuniões dos colegas de classe, nas festas de aniversário de pessoas em crise de meia-idade e, no verão, até em algumas festas de piscina e churrascos. E sempre nos pagam muito bem. Josh já descolou alguns eventos para este ano. E Mike certamente está se organizando para gravarmos um CD demo.

— Estamos progredindo — respondo.

A sra. Panalba pega no rosto de Mike.

— O que é isto no seu rosto?

— Mãe — ele reage —, para com isso!

— O que é isto?

— Nada! — Mike afasta a mão dela. — Que saco!

— Não usou o Clarasil que eu comprei?

— *Mãe!*

— Tá bem, tá bem. — Ela volta para a cozinha. — Cuidem-se, rapazes.

— Pode deixar — Josh responde.

A sra. Panalba olha por cima do ombro e dá uma risadinha para Josh. Em seguida, fecha a porta.

— Juro que ela nasceu para me envergonhar — diz Mike.

Josh ri.

— Elas são todas iguais.

Começamos a guardar os instrumentos.

— Vocês não estão a fim de ir até o shopping? — Mike propõe. Ele pode sair quando não tem aula no dia seguinte. E o meu toque de recolher é só lá pela uma hora.

— Eu topo.

— Eu não posso — diz Josh. — Ainda estou de castigo.

Josh fica de castigo toda semana. Está sempre fazendo alguma besteira. Desta vez ele jogou a bola de boliche do pai pela janela para impressionar uma garota de que ele estava a fim. Impressionante!

Mike e eu resolvemos ir no meu carro. Eu dirijo enquanto ele me conta seus planos mirabolantes para o inevitável sucesso da banda.

Quando estamos na praça de alimentação, sentados diante de uma porção de batatas fritas grande o suficiente para alimentar uma pequena cidade, Mike diz:

— Vamos ter que tirar umas coisas da sua cabeça. — Ele está vendo alguma coisa atrás de mim. — E já sei como.

Eu me viro e as vejo.

Cynthia e Marnie estão esperando na fila do Cinnabon. Se fosse no ano passado, teria sido perfeito. Eu estava com Cynthia e Mike há muito tempo estava a fim de Marnie.

Por um segundo fico tentado. Seria muito fácil. E ela está bonita. Mas seria muito chato sair de novo com Cynthia. Ela começaria com aquela conversa de querer ser minha namorada. Depois ia começar a exigir passar mais tempo comigo. É um caminho pelo qual não quero mais passar.

— Tô fora — digo. E me levanto juntando o lixo.

— Ah, não. Fala sério?

— Falo.

Mike me olha como se eu estivesse maluco.

— Você volta sozinho pra casa? — pergunto.

Mike olha de novo para Marnie.

— Com certeza.

— A gente se vê.

— Até mais.

Ao atravessar o estacionamento, estou mais decidido do que nunca. Nada me fará desistir. Tem que acontecer.

Capítulo 13

Yin e Yang

8 de setembro, 12h33

— Quantas calorias tem uma banana? — Caitlin pergunta.

— Oitenta — Heather responde, tirando um fiapo da camisa de Alex.

Difícil acreditar que eu esteja sentada na mesma mesa que Dave e seus amigos e esteja sendo tratada como se fosse um deles. Dave logo me deixou à vontade. Não pensem que abandonei Maggie e Laila, porque elas aceitaram numa boa, desde que vez ou outra eu vá me sentar com elas.

Dave põe o braço sobre meus ombros.

— Você vai comer a sua sobremesa?

Eu estava a fim de uma, principalmente de chocolate. Mas, quando olho na bandeja das meninas, detecto uma substancial falta de açúcar. Não vou comer a minha com toda essa gente me olhando.

— Não, pode comer.

Noto que muita gente percebeu que estou sentada aqui. Eu gosto de me sentir aceita.

Na aula de teoria musical, estou flutuando numa bolha cor-de-rosa.

— O que há com o Tobey? — Laila pergunta.

— Como assim?

— Ele não tira os olhos de você desde que entrou por aquela porta. Não notou?

Ergo a cabeça e Tobey imediatamente desvia o olhar.

— Ele tá babando? — Laila pergunta.

— Só quis ver se ele estava olhando pra cá.

— Tá protestando?

— Oi, pessoal! — O sr. Hornby bate palmas para chamar a nossa atenção. — Vamos passar as escalas! — E senta-se ao piano para tocar. Nós acompanhamos, murmurando. Enquanto murmuramos, eu olho para Tobey. Ele é bem mais alto que o resto da classe; dá para ver pelo jeito como se curva na carteira. Tem cabelos pretos e a pele muito clara. Yin e Yang. Nossos olhares se encontram novamente. Ele tem olhos grandes, de um azul profundo. Quase violeta. E cílios muito longos.

Tobey percebe que estou olhando para ele. Fica sério, contemplativo. Se eu não o conhecesse, diria que é extremamente inteligente. Em geral, isso é o que me atrai em um garoto. Mas Tobey não quer saber de nada. É tão seguro de si que é como se estivesse dizendo: *olho porque eu a quero e não me importo que você saiba.*

É estranho, mas de repente estamos nos olhando fixamente. Parece que o estou vendo pela primeira vez.

Desvio o olhar.

Já esqueci o que estávamos fazendo. Laila me cutuca com o cotovelo e eu volto a murmurar as escalas, como se nada tivesse acontecido. Não vou mais olhar para Tobey até o fim da aula, mas sinto que ele continua olhando para mim.

Quando a aula termina, recolho lentamente o meu material. Quero ver se Tobey vem falar comigo. Como o material consiste em somente um caderno, um livro e uma caneta, finjo procurar alguma coisa no caderno. Entro em pânico quando o vejo sair da sala sem dizer nada.

Por que estou tão desapontada?

Já no corredor, Laila me pergunta:

— O que foi *aquilo?*

— Aquilo o quê?

— Ah, como se você não soubesse.

— Não sei mesmo.

— Vocês ficaram se olhando a aula toda. Ele reprogramou o seu cérebro e você não consegue mais pensar direito?

Laila fala em tom de deboche, porque detesta gente como Tobey. Gente que não faz nada e mesmo assim passa de ano. Ela não entende como é possível perder tempo desse jeito. Laila se esforça tanto para ser a primeira da classe que não se importa de não poder namorar. Talvez ela nem se interesse por romance, pois sabe que desde 1987 seus pais nunca mais transaram. Laila não entenderia se eu lhe dissesse que existe alguma coisa entre mim e Tobey. Nem eu entendo.

— Hã? Do que você está falando? — Parece que estou flutuando no corredor.

— Tudo bem. Não é nada. Mas você vai acabar me contando. — Ela tranca o armário e vai embora.

Pego a mochila no armário e tento me concentrar no que tenho que levar para casa. Mas não consigo nem me lembrar que dia é hoje. Acho que é segunda-feira. Como sempre, Laila tem razão. Mas então me pergunto: por que fico tão perturbada com Tobey e não com Dave?

— Oi — diz Dave. — Quer uma carona para casa?

— Oi. — Levo um susto; não esperava vê-lo hoje. — Quero.

Acomodo o meu caderno dentro da bolsa para caber também o livro de cálculo.

— Vem cá — Dave me encosta gentilmente no armário. — Deixa isso para depois. — Ele pega a minha mochila e põe no chão.

Dave se aproxima, me abraça pela cintura e encosta seu corpo no meu.

Nossos lábios se encontram.

Pronto. Finalmente estamos nos beijando. Um beijo de verdade.

Não sei dizer se é o beijo que vai mudar a minha vida, como tanto sonhei, mas finalmente está acontecendo.

Capítulo 14

Algo verdadeiro

8 de setembro, 15h41

— Laila? — eu a chamo.

Ela está procurando a combinação do cadeado do armário.

— Laila? — insisto.

Laila reage como se alguém a assustasse.

— Você me assustou! — ela diz.

— Desculpe, é que você não me ouviu.

— Isso é motivo para assustar alguém?

Espero sinceramente que Laila seja mais fácil de lidar em um futuro muito próximo.

— Posso falar com você?

— Já está falando.

— Aqui não. Vamos a outro lugar?

— Humm... — Ela me olha desconfiada. — No pátio?

— Tudo bem.

— Espera só um minuto.

Espero ela encher a mochila com mais livros e cadernos do que já tive em toda a minha vida.

— Incrível! — digo.

— O quê?

— Quanta coisa você tem que levar para casa! Sua mochila não está muito pesada?

— Tá... — Laila bate a porta do armário e gira o cadeado. — Vamos.

Seguimos para o pátio, que fica na direção oposta da entrada principal. Melhor assim, porque não corremos o risco de dar de cara com Sara e aquele babaca.

No pátio, sentamos em um banco.

— E então? — Laila pergunta.

Limpo a garganta.

— Não sei por onde começar.

— Pelo começo, de preferência.

Tento me lembrar do que queria dizer. Já tinha preparado todo o discurso. Mas, quando Sara me olhou daquele jeito na classe, fiquei completamente perturbado.

— Eu sei que a Sara tá saindo com Dave... Você acha que eu tenho alguma chance com ela?

— Hum... Acho que você não faz o tipo dela. Sem querer ofender.

— É que... ela ficou olhando pra mim de um jeito tão...

— Provavelmente porque queria entender por que você estava olhando para ela.

Então eu não fui tão discreto quanto imaginei.

— Você acha que existe alguma chance de ela gostar de mim?

— Não sei dizer.

— Não sabe ou não quer?

— Olha, a Sara é minha melhor amiga. Mesmo que ela tivesse dito que gosta de você, eu não poderia dizer.

— Ela disse que gosta de mim?

— Não. Eu disse *se* ela tivesse dito que gosta, eu não diria nada. — Laila suspira enfastiada. — Por que você está perguntando isso?

— Você não gostaria de saber que alguém gosta de você?

— Não.

— Por que não?

— É uma informação inútil. Não tenho permissão para sair com ninguém.

— Ah.

Qualquer um detestaria admitir o que ela acabou de dizer. Mas Laila continua sentada ao meu lado, raspando os tênis no chão, como se não se importasse.

— Só isso? — ela pergunta. — Você quer saber se ela gosta de você só por saber?

— Não. — Protejo os olhos do sol.

— Por quê, então?

Volto a olhar para ela. É a melhor amiga de Sara. Se ela acreditar que estou sendo sincero, talvez me ajude. Josh tem razão. Não devo andar por aí como um demente, gostando tanto de uma garota que mal conheço.

— É que... acho que eu poderia... gostar dela.

— É... já entendi essa parte.

— Sei que é loucura, que é evidente que ela gosta do Dave, mas eu gosto dela.

Laila não tem nada para dizer, talvez pela primeira vez na vida.

— Por isso quero saber se você acha que tenho alguma chance com ela.

— É interessante, porque, da última vez que eu investiguei, vocês não eram nem amigos.

— Não somos mesmo. Quer dizer, conversamos um pouco no ano passado. — Estou me sentindo um idiota, mas não me importo. — O Dave não serve para ela. O cara é um imbecil. Ele... eu poderia falar um monte de coisas. Mas agora não é hora.

— Eu não conheço o Dave, mas Sara não sentou conosco hoje. Eu acho que ele exige muita atenção.

— Eu seria muito mais flexível.

— Mas você nem a conhece — Laila contesta. — Como pode gostar de alguém que nem conhece?

— É exatamente isso. Eu sinto que a conheço. Você já se identificou tanto com alguém que sente uma ligação instantânea?

— Não.

— Bom, deveria tentar. — Abro o meu sorriso mais sedutor. — Vai mudar a sua vida.

Laila me olha de um modo estranho.

— Por que está me dizendo isso?

— Porque quero que você me ajude. E porque eu confio em você.

— Confia?

— Confio. Não deveria?

— Não, pode confiar. Não vou dizer nada a ninguém.

— Obrigado. — E agora, a parte mais difícil. — Quero perguntar outra coisa...

— O quê?

— Você trocaria de par comigo na aula de teoria musical?

— O quê? Não! Ficar com o Robert? Tá maluco?

— Não completamente. Se você me fizer esse favor, vai mudar toda a minha vida.

— Não, isso é muito mais do que um favor. Se você me pedir isso vai se tornar meu escravo pessoal pelo resto do ano.

— Sem problemas; se funcionar serei o seu escravo pessoal por toda a vida.

— E por que eu o ajudaria? — ela pergunta.

Tento encontrar as palavras certas para convencê-la a aceitar a minha proposta.

— Poderemos descobrir se é o que estou pensando.

— E o que seria?

Respiro fundo.

— Algo verdadeiro — digo.

Laila não diz nada.

— E então? — Saio do banco e me ajoelho no chão. Pego na mão dela. Laila ri.

— Você faria isso?

— Mas não quer dizer que eu aprove.

— Tudo bem. — Balanço a cabeça vigorosamente.

— Você nem a conhece. E você é esquisito. E não faz o tipo dela.

— Concordo.

— Só vou aceitar porque Sara é a minha melhor amiga. — Laila se levanta e pendura a mochila no ombro.

— Fechado? — pergunto.

— Fechado — ela confirma.

Nós apertamos as mãos.

Entro correndo na sala de música. O sr. Hornby ainda está lá, debruçado em sua mesa. Nós nunca conversamos. Ele é famoso por fazer um cavalo de batalha pelas coisas mais insignificantes. Já ouvi dizer que tirou pontos de alguém só porque o infeliz bocejou. Por isso, tenho que ser muito cauteloso.

Bato na porta aberta.

— Sim? — ele ergue a cabeça.

— Desculpe incomodá-lo. Eu estava...

— Você chegou agora?

Não, eu estava embaixo do piano o tempo todo.

— Cheguei. Eu... preciso fazer uma pergunta importante.

O sr. Hornby resmunga alguma coisa. Pede para eu me aproximar. Vou até a mesa e me sento na poltrona em frente.

— Em que posso ajudar?

— É sobre a aula. Quero pedir para mudar de parceiro.

— Algum problema com o Robert?

— Não. Sim, na verdade. Mas não é exatamente um problema.

O sr. Hornby espera.

— É mais complicado — digo. Na pressa de ir direto ao ponto, não me lembro do que tinha pensado em dizer.

— Eu já sei o que está acontecendo.

— Sabe? — Como é possível? Está tão na cara assim?

— Não sou tão desligado como vocês pensam — ele continua. — Sou muito observador, sabia?

— Uh... Ah, sem dúvida.

Então ele percebeu que eu desejei Sara o tempo todo?

— Não é fácil estar na sua posição — ele suspira. — Eu mesmo já passei por isso.

O sr. Hornby é o último professor de quem eu esperava ouvir uma coisa dessas. Mesmo que eu não me interesse pela vida sexual de nenhum deles.

— Eu sei o que está acontecendo — ele continua.

O cara é bom. Deve ter um radar de flutuação hormonal. Minhas leituras melhoram muito sempre que vejo Sara.

— Robert não é, como eu poderia dizer, o lápis mais bem apontado do estojo.

— Hã?

— Você tem um talento excepcional, Tobey. E o Robert deixa muito a desejar.

Ah. Ele está se referindo ao meu atual parceiro, Robert Garten. Desde aquele terrível incidente no vestiário, no ano passado, até hoje me arrependo de não tê-lo defendido. E Dave participou de tudo o que aconteceu.

— Dá para esperar até o fim do trimestre? Ele será transferido para outra classe. Ele sabe que não tem muita inclinação para a música.

— É... mas eu gostaria que fosse amanhã.

— Bom, as mudanças são feitas no final do bimestre e agora não se pode fazer nada. Enquanto isso, talvez sobre um pouco do seu talento para ele.

O fim do bimestre será só daqui a um mês. Não sei se vou aguentar tanto tempo. Mas tenho que me acalmar.

— Quem sabe — digo.

O sr. Hornby abre a agenda.

— Vejamos. Tenho que fazer outras mudanças, mas vamos ver isso. Com quem você ficaria? Se eu trocar a Paula com o Graham...

— Tive uma ideia.

— Hã? — O sr. Hornby ergue a cabeça. — Qual é?

— Bom... eu estava pensando que a Laila e a Sara são muito inteligentes e estão juntas. E isso meio que esgota a capacidade mental delas, entende?

Ele ri.

— Entendo o que você quer dizer.

— Quero render muito mais neste semestre, para me candidatar à faculdade e tal. Então, se...

— A-rá! — ele anuncia, como se tivesse solucionado o mistério do Triângulo das Bermudas. — Você e a Laila. — Ele começa a escrever.

— Não! — grito.

O sr. Hornby ergue uma sobrancelha.

— Sabe, seria melhor se... melhor me colocar com a Sara.

— Alguma razão em particular?

— Sim — e isso me vem de repente. — Ela me disse... ela... nós conversamos sobre a minha música e ela se interessa muito pelo que estou fazendo, e nós dois estamos no quarteto Vivaldi e...

— Ah, gosto muito desse quarteto. Perfeito. — E ele volta a escrever.

— Bom... — Eu me levanto.

— Obrigado pela sua franqueza, Tobey.

Estou me sentindo um pouco culpado.

Entro no carro e vou para a casa de Mike. Invado o quarto dele sem me dar ao trabalho de bater.

— Não se preocupe comigo, fique à vontade — diz Mike. — Só moro aqui.

— Cara, eu consegui!

— Conseguiu o quê?

— O plano! Sara é minha parceira!

— Caraca!

— Pois é. Mas só no mês que vem.

— Não se preocupe — diz Mark. — Até lá você sempre pode contar com o mulhercommulher.com.

Capítulo 15

Meu tudo

8 de setembro, 17h17

O TELEFONE TOCA no momento em que estou resistindo ao impulso de trucidar meu livro de cálculo.

— Alô?

— Você não vai acreditar.

— O quê?

— Tobey gosta de você.

— *O quê?*

— Tobey. Sabe aquele garoto que não tirava os olhos de você? Aquele que você ficou encarando? Faz sentido pra você?

— Como você sabe?

— Ele me disse.

— Sério?

— É, ele é doido. Mas não me surpreendeu muito.

— Laila, *o que aconteceu?*

— Ele me procurou depois da aula para conversar. Então nós fomos para o pátio e ele me disse que gosta de você. E ele quer que eu troque de par com ele na aula de música para poder ficar com você.

— *AimeuDeus*!

— Te juro.

— Ele não sabe que eu estou com o Dave?

— Sabe, mas não se importa.

— Dave me beijou.

— Quando?

— Depois da aula. No corredor dos armários.

— Então você estava beijando o Dave no exato momento em que Tobey me dizia que gosta de você. Que coincidência!

— *AimeuDeus*!

— Como foi?

— O quê?

— O beijo.

Quando contei a Laila e a Maggie que Dave tinha me beijado no rosto, disse também que um beijo de verdade mudaria a minha vida.

— Foi... legal.

— Legal? Só isso?

— Só...

— O que aconteceu com o tal abalo sísmico?

— Você quer dizer se mudou a minha vida?

— Que seja.

— Não sei dizer.

— Uau. Então parece que o Sr. Em Busca de Algo Verdadeiro tem alguma chance.

— Quê?

— Tobey disse que busca em você *algo verdadeiro.*

— Sério?

— Ele... droga! Tenho que ir. Minha mãe está pirando porque não passei os últimos cinco minutos estudando.

— Espera! — grito.

— O quê?

— O que você disse ao Tobey sobre trocar de par?

— Eu disse que tudo bem. Mas duvido que o sr. Hornby aceite.

— Por quê?

— Ah, você sabe como ele é.

— Não, quero saber por que você disse ao Tobey que tudo bem.

— Ah — diz Laila —, e por que não?

— Intrometida!

— Intrometida por quê? Você não quer ficar com o Tobey?

— Não. Sim. Quer dizer, não! Não é disso que estou falando.

— Então, qual é o problema?

— Por que você foi conversar com ele? Desde quando você conversa com garotos como Tobey?

— Nem tudo é o que parece — diz Laila, em tom de crítica.

— O que você quer dizer com isso?

— Eu adoraria fornecer todos os detalhes, mas minha mãe está literalmente arrancando o telefone da minha mão. Conversamos amanhã!

— Laila!

— Divirta-se aí com os cálculos.

Quando ela desliga, ligo para Maggie e conto tudo o que acabei de ouvir.

— Quem é Tobey? — Maggie pergunta.

— Tobey Beller! Você sabe... da aula de arte no ano passado.

— Ah, sim! Ele tem olhos lindos.

— Eu sei.

— Mas Dave também tem.

— Também sei.

— Então... agora você está interessada no Tobey?

— Não! Eu gosto do Dave. Há quanto tempo estou esperando que ele me convide pra sair?

— O Dave é lindo.

— Eu sei.

— E adora você.

— Eu sei. E me beijou depois da aula.

— Ah, é? Como foi?

— Bom.

Maggie fica esperando do outro lado da linha.

— Alô? — insisto.

— Sua vida mudou?

— Eu gostaria que mudasse... mas não sei. É como ter grandes expectativas e depois...

— Eu também já me senti assim — diz Maggie. — Não há nada de errado.

— E o que aconteceu?

— Com o tempo, você descobre que nenhum garoto corresponde às suas expectativas. Ainda não encontrei ninguém que preencha os meus critérios. Mas Dave é bonito. Tenho certeza de que vai melhorar.

— Tem razão; jamais vou encontrar tudo que espero numa única pessoa.

Mas, na verdade, é exatamente isso que estou esperando.

Capítulo 16

O problema com Dave

23 de setembro, 15h02

— Peguei o ritmo, o décimo terceiro compasso. Quer que eu mostre?

Aceno com a cabeça, mas não tiro os olhos fixos do chão. Ouço a voz de Robert, mas não escuto o que ele diz. Esforço-me para não olhar ao redor da sala. Mas não consigo. Sara está bem ali. E em poucas semanas estará bem aqui.

Eu podia contar a ela sobre Dave. Só não contei a Laila durante a nossa conversa porque quero que Sara goste de mim pelo que sou. E não pelo que Dave não é. E nem porque Dave agrediu Robert e fez tudo o que fez. Ou porque eu sei o que Dave pensa a respeito dela.

O problema de Robert é que ele é totalmente marginalizado. *Status* zero. Agora que nos conhecemos melhor, sei que ele é um bom sujeito. E, por isso, tudo aquilo que aconteceu é ainda mais triste.

Foi em abril, um dia em que eu decidi ficar até mais tarde usando a sala de musculação. Eu estava no vestiário quando Dave e os outros caras do time de basquete chegaram para o treino. Robert também estava lá por alguma outra razão. Ele se trocava perto da porta de entrada e eu estava nos chuveiros, nos fundos. Então Robert foi a primeira pessoa que eles viram ao entrar.

— Ei, babaca — ouvi. — Tudo bem aí?

Ao ouvir isso, logo soube que haveria confusão. E eu não podia fazer nada para impedir. Foi Matt quem perguntou. Eu não precisava ver as pessoas para saber quem dizia o quê.

Parece que Robert tentou ignorá-los, porque Matt perguntou de novo, num tom mais agressivo.

— Eu *perguntei* como você vai.

— Tudo bem — disse Robert.

Então o time todo começou a arremedar Robert, em tom de gozação. “Tudo bem!” “Tudo bem!” “Tudo bem!” Robert devia estar nervoso e assustado. Eu me odiei por estar muito cansado e não sair para defendê-lo. Me escondi entre dois conjuntos de armários.

Acho que Robert terminou de se vestir e tentou sair, porque Alex gritou:

— Ei, babaca, pra onde você pensa que vai?

— Ele tem programa — disse Matt.

— Com uma bicha — Dave disse.

— Me deixem ir embora — Robert pediu.

— Oohh!!! — disse Alex. — A bichinha tá com pressa.

— Quer relaxar? — Matt perguntou.

— A gente vai ajudar você a relaxar, não é pessoal? — Dave caçoou.

— Claro — Matt concordou.

Então ouvi um baque. E Robert gritou.

— Tá gostando? — Dave perguntou.

— Me deixa em paz — implorou Robert.

— Pra quê? — Matt pergunta. — Não quer se divertir?

— Me deixem ir, por favor.

— Sem problema, cara — disse Dave.

E, então, ouvi alguma coisa bater contra os armários. Com força.

Eu sabia que era Robert.

Nos minutos seguintes, fiquei sentado no chão, me odiando. Como pude permitir que eles fizessem aquilo com Robert sem fazer nada? Por que não fiz alguma coisa? Mas eu sabia que não havia nada que pudesse fazer para defender Robert. Se eu saísse de onde estava, Robert saberia que eu sei. E eu conheço bem esse tipo de constrangimento. É muito pior quando alguém é testemunha da sua dor.

Então, acho que Robert conseguiu fugir, porque eles começaram a conversar sobre outras coisas. Eu me sentia preso numa armadilha dentro daquele vestiário. Resolvi esperar que eles saíssem para ir embora.

Sentei no chão e fiquei ouvindo. Eles falaram dos programas de fim de semana e que Dave queria convidar Sara para sair. Dave contou que a conheceu no encontro do time mirim. Os amigos lhe diziam o que sabiam sobre ela.

— Por que você não vai lá, cara? — Matt perguntou.

— Estou pensando — Dave disse. — Mas a Maggie é muito mais gostosa.

Alex comentou:

— É, mas ela é amiga da Sara.

Dave caçoou: — Viria de brinde!

Todos riram. Ainda posso ouvir as palmas das mãos batendo umas nas outras. Dave perguntou:

— Será que ela também é... vocês sabem.

— É o quê?

— Ela deve ser virgem — Dave afirmou.

— Cara, as nerds são as melhores.

— É, toda aquela frustração acumulada. Elas são um vulcão pronto para explodir — Alex comentou.

— Sem falar que ela pode estudar por você e tudo mais — Matt acrescentou.

— É, mas a Maggie é uma delícia de minissaia — Dave comentou.

— Ela é gostosa — Alex concordou —, e não deve usar nada por baixo.

— Pessoal, é o seguinte — Matt se adiantou. — O que você quer: perder tempo convencendo a Sara de que virgindade é um pecado ou sair com um artigo de segunda mão?

— Eu não me importo de quebrar mais um cabaço — Dave riu.

— Nada é problema para o súper D. — Ao dizer isso, Alex já estava mais próximo de mim. Eu sabia que eles teriam que passar por mim, então fingi arrumar as minhas coisas.

Alex levou um susto quando me viu.

— Ei, o que é que você tá fazendo aqui?

— Trocando de roupa. Mas já terminei, então... — Fui me retirando, como se nada tivesse acontecido.

— Quem está aí? — Matt perguntou, se aproximando de nós. — Merda! Ele estava aqui o tempo todo!

— Não, gênio, ele acabou de entrar — Alex caçoou.

Matt e Alex se entreolharam, porque sabiam que eu poderia entregá-los por causa de Robert e estavam pensando o que fariam comigo. Mas Alex disse apenas:

— Se contar, tá morto.

— Não se preocupem — eu disse, já fechando a porta. Até hoje me arrependo de não ter defendido Robert.

Quando passei por Dave, ele me encarou. Lembro-me de ter pensado que ele era o pior de todos. E foi essa a história.

— Entendeu agora? — Robert está me perguntando na classe.

Como não ouvi uma única palavra do que ele disse, apenas assenti com a cabeça. Mesmo que ele repetisse, eu não entenderia. E nem quero entender.

Então percebo que ela está me olhando.

Olho para ela. Sara desvia o olhar.

Definitivamente, ela olhou para mim. Olhou outra vez. Ela faz isso todos os dias desde que conversei com Laila. E as garotas contam tudo umas para as outras. Isso fazia parte do meu plano.

Eu acho que ela gosta de mim. E acho que Dave já não é mais aquilo tudo que ela pensava que ele fosse. Então, para que esperar até trocarmos de parceiro, se posso saber o que ela sente agora mesmo?

Capítulo 17

A popularidade é um problema

4 de outubro, 19h11

Não tenho roupa para sair.

Já experimentei todo o meu guarda-roupa pelo menos duas vezes. Nada fica bom. Esta noite vamos fazer um programa com Caitlin e Matt. Nada do que tenho se aproxima do mundo cheio de glamour que é o guarda-roupa de Caitlin. A blusa que ela estava usando ontem deve ter sido mais cara do que todas as minhas roupas somadas.

Reviro outra vez o armário e ando pelo quarto sem saber o que fazer. E então me lembro. Minha mãe acabou de comprar uma frente única. Outro dia ela vestiu para me mostrar, quando estava de ótimo humor. Na ocasião, eu estava tão ligada no possível retorno do seu típico mau humor que mal notei que por dois segundos ela me tratou como um ser humano. Mas, agora, quero aquela blusa.

Giro a maçaneta e abro a porta bem devagar para não fazer barulho. Ouço uma voz rouca cantando uma música antiga e a risada falsa da minha mãe. Isso significa que Howard está em casa.

Howard é o atual "amigo" dela. Minha mãe diz que é namorado, mas eu acho que chamá-lo de namorado é negar a existência da mulher dele.

Odeio Howard. E odeio o jeito como minha mãe se comporta quando ele está por perto.

Atravesso o corredor na ponta dos pés em direção ao quarto dela e o assoalho range. Impossível evitar. Até eu me assusto.

— Sara! — minha mãe me chama da sala. — Venha cumprimentar o Howard!

E só me restam quinze minutos para eu terminar de me arrumar. Tenho que me livrar dessa.

Ele está sentado no sofá bebendo vinho. Ela está na cadeira de balanço, também bebendo vinho. Quando Dave chegar, o vinho terá terminado e eles terão ido para o quarto dela. Ou seja, tenho que pegar aquela blusa agora. Sem que ela perceba. Amanhã eu ponho de volta no lugar sem qualquer problema.

Encostada num canto da parede, olho para dentro da sala.

— Oi — digo.

— Tudo bem? — ele pergunta. — Como vai?

Mantenho a cabeça baixa.

Mamãe limpa a garganta.

Eu murmuro alguma coisa que pode ser entendido, ou não, como um "tudo bem".

— Novidades na escola? — Howard insiste.

E o pior é que ele não se toca.

— Não — respondo e mantenho os olhos fixos no chão.

— Por que você não conversa com o Howard? — minha mãe pergunta. Noto o sorriso plastificado em seu rosto. Esses dois me dão vontade de gritar. Estou furiosa e ainda tenho que ser gentil com o cara, ou com o cara que veio antes dele ou com o cara que virá depois. Não entendo por que uma pessoa iria querer conhecer alguém que vai sumir da sua vida quando menos se esperar.

— Tô conversando — digo. E volto para meu quarto. Daqui a pouco vou tentar pegar a blusa outra vez.

Quando vou fechar a porta do quarto, minha mãe impede.

— O que há com você? — ela pergunta entre os dentes.

— Quê?

— Por que não foi gentil com o Howard?

— Hum... não sei.

— Qual é o seu problema?

— Meu problema? — pergunto. — Fala sério!

Ela cruza os braços e me olha fixamente. Está na cara que ela não gosta de mim. Só me mantém por perto porque não há outro jeito.

— Talvez eu queira um pouco de privacidade — digo.

— Privacidade é um privilégio — ela contesta. — Não é sendo rude com os hóspedes que você vai ter privacidade.

— Hóspede? Agora ele é hóspede?

Os olhos da minha mãe se estreitam. É o prenúncio de um ataque de fúria. Mas ela não vai brigar comigo enquanto ele estiver aqui, para que ele a veja como uma boa mãe. Conheço esse jogo.

— Posso acabar de me arrumar? — pergunto. — Você não pode entrar aqui desse jeito e ficar me ameaçando.

As mães não deviam agir assim. Sem qualquer carinho com os filhos. Preocupando-se só com o que os outros pensam. E eu não tenho culpa por ela ter sofrido tanto.

Minha mãe me teve aos 16 anos. Quando meu pai foi embora, ela abandonou os estudos e só conseguiu terminar o ensino médio por correspondência. Hoje ela é corretora de imóveis e só reclama da vida. Como se a culpa fosse minha por ela não ter usado um anticoncepcional. Minha mãe é revoltada contra o mundo, contra mim por ter roubado a sua juventude, contra tudo. Não acredito que um dia ela vá parar de me culpar por algo que eu não fiz.

Estou cansada disso. Preciso de alguém que queira estar comigo.

Quando Dave e eu deixamos o carro no estacionamento e nos dirigimos para o shopping, já me sinto outra. A sensação de frio na barriga entrou em marcha automática. Já saímos algumas vezes com os amigos dele, mas este é o primeiro programa de casais oficial que fazemos. E em algum lugar dentro de mim temo fazer alguma coisa que não deveria.

Vamos encontrar Caitlin e Matt na frente do shopping. A noite está agradável. O verão se prolongou um pouco mais. De certa forma isso exacerba meus nervos em vez de ajudar a relaxar.

— Calça bonita — diz Caitlin ao me ver. — Onde você comprou?

— É uma calça comum — eu digo. — Não lembro onde comprei.

— É sexy — ela comenta.

Estou pasma. Agora que sou considerada popular, de repente começam a notar o meu estilo. Estilo que foi completamente ignorado nos últimos três anos. Isso me lembra aquele sujeito do filme *Namorada de aluguel*, que paga mil dólares à garota mais popular da escola para ser popular. Ele quer que os vejam juntos para que o considerem a melhor coisa já inventada desde o gravador de DVD. E a minha calça de liquidação de repente se transforma na última tendência da moda.

— E então — Matt pergunta —, o que a gente vai fazer?

— Não sei — diz Dave. — Vocês já comeram?

— Estou morrendo de fome — diz Caitlin.

— Vamos comer — Matt decide.

Nós entramos e passeamos um pouco pelo primeiro andar. Estou me sentindo o máximo com as pessoas mais populares da escola. E em plena noite de sábado!

Caitlin tira da bolsa um saco de Orbit.

— Quer? — ela me oferece.

— Não, obrigada. — Não entendo para que servem os chicletes. Só para mascar? Quer dizer, entendo que alguém queira deixar o hálito agradável. Mas mascar por mascar? Tem garotas que enfiam um pacote inteiro de Bubble Yum na boca e ficam mascando ruidosamente, como uma vaca. Como Caitlin está fazendo. É muito nojento. Mas ela é Caitlin e pode fazer o que quiser.

Quando chegamos à escada rolante, perco o primeiro degrau e me desequilibro.

— Essa coisa de subir é um perigo, hein? — Matt brinca.

Todos riem. Eu também. Mas não acho graça.

Na fila da praça de alimentação, tento ser eu mesma. Preciso me lembrar de como me comporto quando sou eu mesma.

Caitlin pega salada. Isso é o que as *cheerleaders* manequim zero comem quando estão morrendo de fome. O que eu gostaria mesmo é de um cheeseburger com anéis de cebola. Mas, como não quero parecer uma baleia, também peço salada. Como se fosse possível comer qualquer coisa estando tão nervosa.

— Ah! — Caitlin exclama. — Adoro seus sapatos. Onde você comprou?

Ela está se referindo às botinhas de amarrar que encontrei num balcão de ofertas. Algo me diz que ela está caçoando de mim desde que chegamos aqui.

— Ah, foi numa queima de estoque — digo.

O sorriso dela desaparece instantaneamente. Quero ver como ela reage a esse tipo de informação.

— Ah! Muito engraçado! — ela ri. Caitlin tem uma risada estridente, que combina com sua voz estridente. — Quase acreditei!

Continuei comendo a salada.

Dave e Matt conversam sobre basquete e videogames, e como ganharão muito dinheiro no mercado de ações quando saírem da faculdade. Então Caitlin entra na conversa, e eles comentam alguma coisa que aconteceu no ano passado que deve ter sido tão engraçada que até sai um pouco de cerveja pelo nariz de Caitlin quando ela ri.

Olho para a mesa ao lado, ocupada por um grupo de amigos que estão se sentindo muito mais confortáveis de jeans e camiseta. Tenho certeza de que nenhum deles precisou experimentar cinquenta modelos para sair de casa. É o que acontece comigo quando saio com Dave. E eles se divertem da mesma maneira. Aqui, na nossa mesa, parece que ninguém quer correr o risco de danificar uma célula cerebral falando de coisas importantes. Agora eles começaram a caçoar de algumas pessoas. É o Clube do Mal QI-100.

Ouso perguntar:

— Por que ele fez isso, então?

— Ah, mas você não estava lá para ver — diz Dave.

Eles estão rindo de um incidente que eu não presenciei, da mesma maneira que não me sinto presente aqui, neste momento.

Continuo comendo a salada.

Antes eu teria feito qualquer coisa para estar aqui. Agora que estou, não quero estar.

Então vejo Robert Garten e Joe Zedepski sentados algumas mesas adiante. Caitlin e Matt começam a caçoar deles; acho melhor não dizer nada. Mas Joe e eu nos conhecemos desde o primeiro ano, e também conheço Robert. Então aceno para eles:

— Oi! — cumprimento.

Joe acena para mim. Robert parece assustado.

Todos na minha mesa param de falar.

— O que está fazendo? — Caitlin pergunta.

— Cumprimentado meus amigos. — Busco apoio em Dave. Ele sabe que sou amiga deles. Mas ele nem se digna a me olhar.

— Tuuuudo *bem* — diz Caitlin, girando os olhos.

Matt amassa um canudinho e joga na mesa deles.

— Uns fracassados! — diz.

Dave *ri.*

Não acredito que ele fez isso.

A caminho do cinema, Caitlin quase tem um ataque diante da vitrine de uma loja caríssima.

— *AimeuDeus!* Tenho que entrar! — Ela pega no meu braço e me puxa para dentro.

— Tá bom, a gente espera aqui! — Matt fala atrás de nós.

— Ah — Caitlin geme. — Olhe só para isto!

Me movo com relutância.

— Existe calça mais legal que esta?

— Não — digo.

— Sinta o tecido macio!

Eu sei que é macio. Senti algumas semanas atrás quando entrei aqui fingindo ter dinheiro. Queria saber como é entrar numa loja sofisticada e comprar o que eu quisesse sem me preocupar com o preço. É claro que a primeira coisa que eu olho é a etiqueta de preço; já vi esta e sei que a calça custa cento e dez dólares e que está muito acima das minhas posses.

Pego no tecido.

— É bem gostoso — digo.

— Vou comprar — diz Caitlin. Ela procura entre os cabides e pega um tamanho que não caberia nem em uma Barbie. — Quer provar?

— Não, já provei na semana passada. Deixa meu quadril muito grande.

— Tem certeza?

— Tenho.

— Então vamos!

Quando entramos nos provadores, procuro uma cadeira para me sentar e esperar. Mas Caitlin pega a minha mão quando a funcionária não está olhando e me puxa para dentro do provador. Ela deixa a calça em um banco e procura alguma coisa na bolsa. Tira uma lata de bala de menta.

— Quer uma?

— Quero.

Mas, quando ela abre a lata, as balas são diferentes.

— Que balas de menta são essas? — pergunto.

— Ah! — ela ri. — Não é bala de menta.

Olho mais de perto. Vejo que elas têm um símbolo estranho. Lembro-me da cena em que as pessoas se drogam, no filme *A Hora de Voltar*.

— Uh... eu não quero, obrigada.

Então Caitlin esbarra na bolsa e tudo que tem dentro se espalha pelo chão. Imediatamente me abaixo para ajudar a recolher. E pego um cartão de crédito com o nome da Heather.

— É que... às vezes ela me empresta — Caitlin explica, meio sem graça.

— Você não tem o seu cartão de crédito?

— Eu... sim... e não apenas um.

É óbvio que ela está mentindo e nem consegue olhar para mim.

— Pensando bem — ela diz —, eu não preciso da calça. Vamos embora.

Encontramos os rapazes folheando uma revista pornográfica, e eu me pergunto o que exatamente estou fazendo aqui. E o que foi que eu vi em Dave para pensar que ele era o namorado ideal.

Capítulo 18

Melhor para ela

7 de outubro, 12h40

— Cara — diz Mike —, nunca vi você tão fissurado numa garota.

Estamos sentados na lanchonete. Josh resolveu ficar na escola pra ver se conseguia pegar alguma aluna do segundo ano, do período noturno.

Mike tenta tirar o ketchup do frasco. Ele aperta o frasco sobre o cheeseburger como se o fosse estrangular.

— Tô mesmo. Ontem a gente conseguiu conversar. Mas não foi o suficiente. Ela continua saindo com aquele babaca.

Mike enfia a faca no frasco de ketchup de plástico.

— Cara — ele sacode sobre o prato e o ketchup espalha para todo lado, mas ele nem percebe, porque está olhando para mim. — Você não está...

— Cuidado! — eu mostro o prato coberto de ketchup.

— Merda! — Ele começa a raspar o ketchup do cheeseburger. — E agora? Peço uma porção de fritas pra comer com o ketchup?

— A técnica da faca funciona.

— É.

— Será que eu não estou... o quê?

— Hã? Ah, sim... será que você não está facilitando muito, e ela não se sente obrigada a fazer nada?

— Pode ser... É complicado. Não sei como fazê-la enxergar que eu sou muito melhor do que ele.

— Cara, não estou reconhecendo você — diz Mike. — Me lembro bem dos seus melhores momentos, quando era você quem dava as cartas.

Atiro uma rodela de cebola em Mike. E acerto a orelha esquerda. Pego outra rodela e mergulho na mostarda.

— Nunca mais ataque o seu planejador *máster* — ele ordena, dando uma mordida no cheeseburger.

— É, mas o seu plano não funcionou.

— Por culpa sua. Deve ter sido muito engraçado aquele tombo na escada — Mike ri. — Como eu gostaria de ter visto!

— É, mas ela falou comigo, não falou?

— Desculpe lhe dizer, mas foi por pena.

— Pode ser... Mas só conversar não basta. Tenho que fazer alguma coisa mais drástica. — Mergulho outra rodela de cebola na mostarda. — Alguma ideia?

— Não quer que eu limpe a sua bunda também?

— Quanto vou pagar por mais este conselho?

— Que tal no ginásio?

— No ginásio não dá. Sara e eu temos corrida no mesmo horário.

— Então você precisa de uma estratégia. — Mike pensa um pouco. — Sara já viu você com outras garotas?

— Quem, por exemplo?

— Qualquer uma. Tanto faz. Se ela vir você com outra garota, vai pensar que tem uma concorrente. As garotas gostam mais da gente quando somos mais difíceis.

De repente, eu mesmo tenho um plano.

— Você é um gênio — digo.

— Quê? Só percebeu isso agora?

Nossos planos nunca dão muito certo, mas este é brilhante.

Aquela noite, permaneço calado durante o jantar. Estou engatado na marcha planejamento.

Meu pai e eu cuidamos da louça. É a minha vez de secar. Minha mãe está lá em cima com dor de cabeça. Ao menos não temos que ouvir Simon & Garfunkel ou Cat Stevens ou qualquer outra banda hippie. Basta James Taylor.

Meu pai lava o último prato.

— Está pensando na faculdade? — ele pergunta.

Na escola, só o que as pessoas conversam é sobre a faculdade. Mike já está ficando neurótico com isso. Até Josh está entrando nessa. Estamos fazendo as dissertações para a inscrição, principalmente nas aulas de inglês, e isso está interferindo no tempo que tenho para escrever letras de música. A sra. Everman me pegou no corredor outro dia. Ela quer que eu me inscreva entre o terceiro e o quarto trimestre. O sr. Hornby sugeriu a Manhattan Music Academy, onde ele estudou. Sara está entre as dez primeiras da classe. Se ela ficar comigo, vai aceitar que eu não queira fazer faculdade?

— O seu futuro depende da sua educação, Tobey.

— Eu sei, pai.

Apoio o copo no escorredor com muita força. Por sorte não quebra.

— Não, você não sabe. Se soubesse, não ficaria por aí — ele diz.

— Eu não fico por aí.

— Não sei mais o que fazer com você.

— Bom, hoje é seu dia de sorte, porque daqui a oito meses eu estarei em Nova York. E você não terá mais que se preocupar com seu filho vadio.

— Tobey, não diga isso. — Meu pai se senta à mesa. — Gostaria que você entendesse que... Você não era assim quando criança.

— Antes de eu ter vida própria, você quer dizer. — Enxugo as mãos e jogo a toalha sobre o balcão.

— É claro que é importante você ter vida própria. Mas para ter equilíbrio é preciso ser responsável. E você é responsável pelo seu futuro.

— Eu sei disso.

— Você não...

— Tudo bem, pai. Não tem nada a ver com você.

— Tem tudo a ver comigo! — ele grita. E esconde o rosto com as mãos. Não me lembro da última vez que o vi assim. Quando ele ergue a cabeça, vejo que está quase chorando.

Eu me sento na frente dele.

— Pai, por que é que eu preciso mudar? — pergunto.

— Não se trata de mudar, mas de ser quem você é. Ser quem sua mãe e eu educamos. — Meu pai se inclina na minha direção. — Você é brilhante, Tobey, mas a inteligência não adianta nada se não servir para lhe dar uma boa vida. Ser inteligente e não usar esse dom é desperdiçar a própria vida.

— Espere aí. Você está dizendo que estou perdendo tempo porque me interesso mais pela minha música do que por me adaptar a um sistema corrupto? Eu trabalho na minha música, pai!

— Eu sei. Mas por que não unir as duas coisas?

— Nem todo mundo é da Ivy League[1] como você.

Meu pai suspira.

— Pensa em fazer alguma coisa ligada à música na faculdade?

— Não preciso de faculdade para fazer o que quero.

Ele se levanta.

— Não estou dizendo para você abrir mão dos seus sonhos. Só

---

[1] Grupo de universidades com altíssimo nível acadêmico nos Estados Unidos. (N.E.)

peço que pense na faculdade. Pode ajudar a realizá-los. — Ele sai arrastando os chinelos e sobe a escada.

Fico ali sentado por mais tempo. Pensando.

No meu quarto, pego o violão. Começo a dedilhar o concerto de Bach que ajuda a clarear a minha mente quando estou confuso. Foi uma das primeiras coisas que aprendi a tocar. Ele me transporta a uma época em que tudo era muito mais simples. Quando esses problemas não existiam. Se eu tivesse algum problema, a solução era simples: bastava ouvir o meu coração.

Vou até a minha escrivaninha e pego papel e caneta. Preparo um café. Volto a me sentar. Então, faço algo que nunca pensei que faria. Escrevo *Plano de Vida* no alto da página.

E começo.

Capítulo 19

Fim de papo

14 de outubro, 9h25

— Isso não está acontecendo — murmuro.

Joe Zedepski deixou cair a calculadora. Pela terceira vez nos últimos dez minutos. É um milagre que ela ainda funcione.

Escrevo no canto da minha folha:

Se eu entrar em combustão espontânea, a culpa é do Joe.

Mostro com a ponta do lápis o que escrevi. Laila lê.

Ela escreve na folha dela:

Quem vai dar uma pochete pra ele?

Talvez seja privação de sono por ficar acordada até de madrugada fazendo o que considero uma quantidade indecente de trabalhos, talvez seja porque estou começando a perceber que estou com o cara errado; o fato é que por alguma razão eu tenho um ataque de riso.

No começo não faço barulho. Cubro o rosto e procuro pensar em coisas tristes. Mas não adianta. Não consigo me controlar. E Laila também começa a rir. Isso não vai dar certo. Ela também tenta reprimir. Nós duas temos ataques de riso nos piores momentos, quando rir é o maior pecado que se pode cometer. Mas isso tem a ver com estresse.

— Vocês poderiam nos contar qual é a piada? — A voz do sr. Perry ecoa pela classe.

O homem não tem senso de humor. Se existisse uma doença relacionada à falta de senso de humor, o sr. Perry seria um caso terminal.

Não respondemos nada. Finjo anotar alguma coisa.

— Abaixem o fogo, por favor — ele pede.

Isso é ainda mais engraçado que a pochete. É muito mais difícil parar de rir. Apoio o cabelo atrás da orelha. Movo um pouco a cabeça para mostrar que sou competente. E balanço o pé para tentar me controlar.

No final da aula, encontramos Maggie no saguão. Ela está olhando para mim. Laila pergunta:

— Você vai ficar conosco na lanchonete?

Maggie aguarda a minha resposta.

Tenho me dividido entre a nossa mesa e a mesa de Dave, onde a vida é sempre risonha e cintilante. Dave me disse que não tem lugar na mesa dele para Maggie e Laila. Não tem mesmo. Lá tem sempre muita gente; sinto que ele está insultando as minhas amigas. Elas sentem a mesma coisa.

— Hum...

Eu sei que não deveria abandoná-las, mas há tanto tempo quero experimentar aquela vida que ainda não quero abrir mão dela.

— Pense bem — diz Laila, que sai andando pelo saguão.

— Laila... — eu chamo.

Ela se vira.

— Quer saber? Não há nada de verdadeiro *naquela* mesa. — E continua andando.

— Mags....

— Olha — diz Maggie —, eu sei que você gosta dele. Já senti a mesma coisa. Mas não faça como essas garotas que trocam as melhores amigas por um namorado.

— É claro que não! Eu só... — Como posso explicar que preciso estar naquela mesa com Dave, sem magoá-las? — Talvez... se eu ficasse mais com vocês e... — Sei que não estou convencendo.

— É, pode ser...

Maggie também vai embora.

Depois de duas horas estudando cálculo, não consigo me decidir entre rasgar as páginas do livro, queimá-las uma a uma ou queimar todas de uma vez numa grande fogueira.

— Que ódio! — Jogo o livro do outro lado do quarto. Como meu quarto é quase do tamanho de um selo de carta, ele bate na parede e cai sobre o tapete. Em meu quarto eu me sinto apertada, confinada, sem ter pra onde correr. Da mesma maneira que ultimamente tenho me sentido ao lado de Dave.

As duas últimas semanas foram ruins. Dave e eu não estamos ligados como eu gostaria que estivéssemos. Não temos muita coisa em comum, e ele não tem o menor senso de humor. Diferente de Tobey, que me faz rir o tempo todo. E Dave faz tudo o que Matt e Alex querem. É claro que não estou detestando Dave, nem nada disso... continuo sendo sua namorada. Mas não consigo parar de pensar em Tobey...

Dave está deitado de bruços na minha cama, lendo seu livro de história, sua matéria favorita. Coisas que aconteceram há um milhão de anos com gente que já morreu. Muito emocionante! Como é possível gostar disso? E como eu posso gostar de alguém que gosta disso?

— Calma, Sara — Dave vem se ajoelhar ao lado da minha cadeira.

— Você é inteligente. O que você não está entendendo? — Ele afaga meu braço.

Procuro me concentrar. Mas é impossível nesta mesa de estudos frágil e improvisada. Minha mãe improvisou uma mesa apoiando uma tábua sobre dois blocos de concreto. E forrou com juta os blocos de concreto. É brincadeira! Estou diante desta mesa, como faço todas as noites, destrinchando uma montanha de exercícios. Ainda estamos em outubro e já não aguento mais.

Dave está ajoelhado do meu lado, acariciando o meu braço.

— Venha descansar um pouco. — Ele afasta a mão e acaricia delicadamente a minha perna. — Quando sua mãe volta para casa?

Minha mãe trabalha até tarde às terças e quintas, e hoje é terça-feira. Temos pelo menos duas horas pela frente. Não que isso faça diferença. Toda vez que Dave vem aqui, nós ficamos nos beijando, mesmo que minha mãe esteja no quarto ao lado. E a porta do meu quarto não tem chave. Ela sabe o que estamos fazendo. E não se importa.

— Mais tarde — respondo. — Por quê?

— A gente pode... Você sabe.

— Pode o quê? — É claro que eu sei o quê. Ele faz sempre a mesma pergunta quando a gente começa a se beijar.

— Nada — ele diz. — Só isto — e me beija.

Eu estava tão tensa, mas logo o estresse desaparece. Dave é tão bonito. E está me beijando. Eu me sinto melhor. Posso entender por que alguns relacionamentos são mera atração física.

Ele me leva para a minha cama e nós nos sentamos. Ele me beija com mais paixão. Nem me lembro mais que estava tão zangada.

Então ele se levanta e abre o zíper da calça. E pega uma camisinha. E joga a camisinha sobre a cama.

Isso é vulgar?

Dave diz: — Você também quer, não é? — E sorri como se fosse o homem mais irresistível do mundo.

Estou sendo condescendente?

— Hum... não sei — digo. — Ainda não estou preparada.

O sorriso dele se dissolve.

— Por que não?

— Porque não.

— Vou convencer você. — Ele volta a me beijar. As molas da cama rangem.

Isso não está certo. Eu o afasto.

— O que há com você? — ele pergunta.

— O quê?

— Já fizemos isso tantas vezes.

— É mesmo?

— Do que você tem medo?

— Não tenho medo. É que só se passaram cinco semanas.

— Exatamente. Cinco semanas.

— Não, *apenas* cinco semanas. Isso não é nada.

— Quanto tempo mais você precisa?

— Não sei. Mais um tempo.

Dave me encara.

— Você nunca vai transar comigo, não é?

— Hã?

— Por quê?

— Por nada.

— Por que você sempre diz "por nada"?

— Porque não há nada errado.

Dave fica sério.

— Olha, eu sei que tem alguma coisa errada. O que é?

Quero vestir o pijama, me acalmar na frente da TV e terminar todos os exercícios antes da meia-noite. É claro que eu preferia transar com o meu namorado, se fosse legal. Poderia até dormir com ele. Mas alguma coisa não está encaixando.

— É que... eu preciso terminar os exercícios.

— Mas a gente sempre termina — ele insiste.

— Não é verdade — digo. — A gente fica namorando e depois não dá tempo de fazer mais nada. — Olho para a camisinha. — E ainda...

Dave olha para a camisinha. E se inclina sobre mim.

— Eu quero muito — ele sussurra.

— Por quê? Por que é tão importante pra você?

Eu sei que ele é louco por sexo, mas isto é ridículo. Dave força tanto a barra que deve estar desesperado.

— Porque você é linda. — Ele beija meu pescoço. — É gostosa. — Beija a orelha. — E eu quero que a nossa primeira vez seja... — E beija meu ombro.

— Quê?

O que foi que ele disse? A *nossa* primeira vez? Ele é virgem!

Dave para de me beijar.

— Ah, não, quero dizer... que seria muito bom se...

Mas nós dois sabemos o que ele quis dizer.

Dave ainda é virgem!

Capítulo 20

Um plano melhor

20 de outubro, 1ª aula

Ainda é cedo, está frio, e as garotas usam tanto agasalho que a gente mal as reconhece. Mas logo vejo Sara.

O treinador se agita na nossa frente. Fala umas coisas no megafone. Ninguém sabe com quem ou o quê ele está falando. Ele percebeu que malhei no verão, porque a primeira coisa que me disse foi: — Ei, Tobey! Tá bem mais forte!

Agora, quando cruzo o portão para entrar na pista, ele diz:

— Ei, Tobey! Ainda malhando?

— Estou — digo.

— Não vai mudar de ideia sobre a corrida da primavera?

Desde o meu primeiro ano como calouro, quando o treinador conseguiu me levar para a pista de corrida por um milionésimo de segundo, ele insiste que eu tenho que voltar. Sou alto e magro, e parece que tenho boas qualidades físicas para correr.

— Acho que não — digo. — Mesmo assim, obrigado.

— Bem, pense melhor.

— Vou pensar. — Espero que agora ele me deixe em paz.

Quando começamos a correr, Mike me pergunta:

— Você vai fazer aquilo?

— Vou.

O plano é bom, mas precisa ser aperfeiçoado. Ainda farei algumas tentativas antes de alcançar os resultados esperados. Veremos como será hoje.

Começamos a correr. Olho em volta em busca de Sara. Nós damos três voltas, as meninas apenas duas, então só tenho uma chance de cruzar com ela.

Sara está correndo com Maggie na minha frente. Aperto o passo para alcançá-la.

— Ei, cara! — Josh grita atrás de mim.

Corro mais rápido, movido pelo meu plano. Quando me aproximo de Sara e Maggie, diminuo o ritmo. Quero ouvir o que elas estão conversando. Do meu lado outras garotas também estão conversando. Olho para ver quem são. Não poderia ser melhor.

Em geral, procuro evitar Cynthia. Jamais corro ao lado dela ou permito que se aproxime. Mas agora eu preciso dela.

— Ei, Tobey — Cynthia me chama em voz alta. A gente não está mais junto, mas ela ainda flerta comigo. — Nossa, você está de short! Não está com frio?

— Não.

Será que Sara está ouvindo?

— Tá malhando? — Cynthia pega em meu braço. — Seu braço tá muito mais forte que antes! — Ela enterra as unhas no meu bíceps, continua correndo do meu lado, sorrindo para mim, apertando meu braço. Então Sara vira para trás e nos vê.

— Dá pra notar? — pergunto.

— Ah, *se dá!* Você treina todo dia?

— Treino.

— Dá pra perceber.

Chegamos ao portão. As garotas saem da pista e vão para o vestiário.

— Tchau, Tobey! — Cynthia cruza o portão.

Aceno para ela e continuo correndo.

Sara também cruza o portão sem olhar para trás.

Espero Mike e Josh me alcançarem.

— Ei, o que aconteceu? — Josh pergunta.

— Não sei.

— Deu certo ou não deu? — Mike se adianta.

— Acho que deu — em vez de me sentir bem, fico culpado —, mas não foi como eu esperava.

— Ela viu você? — Mike pergunta.

— A Cynthia grudou nele — diz Josh.

— Ela viu e não gostou.

— Parabéns — Mike grita —, você venceu!

Sei que isso mexeu um pouco com Sara. Senti quando ela olhou para mim e continuou correndo. Mas por que não estou feliz?

A música é a única coisa que consegue me tirar do sofrimento. É a minha droga. Mais tarde eu descontei na guitarra. Vamos apresentar um rock clássico na Batalha das Bandas, que será no mês que vem, e preparamos uma música nossa para o bis. Mike acha que temos chance de ficar para a final.

Nos dois últimos meses, Mike e Josh tiveram que sair mais cedo do ensaio para estudar. Espero que isso não aconteça hoje. Preciso que eles fiquem.

Mike começa a falar de um trabalho de espanhol.

— Bom, vou ter que me mandar.

— Fala sério, cara — diz Josh. — Eu nem fiz o resumo.

Pensei que a banda fosse mais interessante para eles.

— É pra amanhã? — Mike pergunta.

— É — diz Josh.

Eles começam a guardar as coisas.

Não era para ser assim.

— Vocês não podem ir — digo. — Temos que repassar a Ahab's Fish.

— Cara, se eu não for agora, a minha mãe vai pirar — diz Mike. — E ainda tem matemática... Não posso ficar mais nem um minuto.

— Por que não? — pergunto. — Que diferença faz?

Mike se aproxima de mim. Chega bem perto.

— Por que você faz isso?

— O quê?

— Como anda o seu projeto?

— Eu nem comecei.

— Você está viajando, Tobey.

— Parece que vocês não se ligam mais na banda — digo.

— Tudo bem. Não sei você, mas eu quero começar uma boa faculdade o ano que vem. Não posso ficar à toa por aí feito você. — Mike se abaixa para amarrar o tênis.

— Eu não fico à toa por aí. É o que eu quero para a minha vida. Sei o que eu quero. O que está acontecendo com todo mundo?

Tiro a alça da guitarra do ombro, com raiva.

— Olha — Mike começa —, é bom você pensar melhor por que rejeita tanto a faculdade. Até Josh está se preparando.

— Ei! — Josh grita. — Muito obrigado.

— Você entendeu — diz Mike.

— Entendi — digo.

O que eu entendi é que até os meus amigos estão achando que estou perdendo tempo. Como todos, pensam que, se você não faz faculdade, não é nada. Que se danem. Se for preciso fazer faculdade para provar do que sou capaz, vou fazer. Esperem para ver.

Capítulo 21

Dilema

20 de outubro, 8h26

Não há nada pior que as aulas no ginásio.

Abro uma nova página de desabafos no meu caderno. Desabafo sobre a minha falta de ligação com Dave, por não termos nada em comum, por seus amigos serem uns egoístas e, neste momento, porque este ginásio é uma tortura.

POR QUE ODEIO O GINÁSIO

Não consigo pegar a bola.
Não consigo arremessar.
Sou totalmente descoordenada.
Sou sempre a última a ser escolhida para os times.
Odeio esportes.
Nunca me lembro das regras.
O ginásio é sempre na primeira aula. Não gosto de ficar com a calcinha molhada.

E odeio trocar de roupa para a aula de ginástica. É claro que Maggie não tem que se preocupar com as coisas simples do dia a dia, como trocar de roupa. Porque ela tem um corpo perfeito. Mas comigo é outra história. Há toda uma produção complicada pela qual tenho que passar todo santo dia para me trocar. Tento manter o procedimento de troca de roupa em 3,2 segundos, no máximo.

Primeiro, cheiro a camiseta que está no meu armário para ter certeza de que não está fedendo. Mesmo que esteja, tenho que usá-la. Então sei que não posso chegar muito perto de ninguém.

Depois, olho ao redor para ver se tem alguém olhando. Se não tiver, viro para a parede e rapidamente troco de camiseta. Se tiver alguém, espero a pessoa sair para me trocar.

Vestir a calça com o corpo úmido é a parte mais complicada, porque é quando o meu bumbum avantajado fica exposto. Eu odeio as minhas coxas. Tento enrolar a toalha na cintura para me trocar no banheiro, ou não me trocar. As pessoas riem de mim e me acham esquisita. Mesmo que Maggie insista em dizer que eu sou magra, não acredito.

Hoje estamos treinando *pickle ball,* que é jogado com raquetes grandes e uma bola dura. Um jogador por vez joga a bola contra a parede e o outro tem que rebater. Gosto desse jogo porque é divertido e a gente não sua muito. Às vezes até consigo acertar a bola.

— O serviço é de Agassi; Roddick se posiciona para rebater a bola. — Eu me agacho diante da parede e, alternando meu peso entre um pé e outro, balanço a raquete.

— Lá vai! — Maggie grita. Ela atira a bola, dou um salto empunhando a raquete acima da minha cabeça, mas a bola passa longe de mim. — Roddick está com dificuldade técnica. A vitória de Agassi é inevitável.

— Silêncio na quadra! — eu ordeno.

Vinte minutos depois de Agassi bater duramente em Roddick, a sra. Spencer toca o apito. — Muito bem, garotas! Podem parar!

Vamos correr na pista. Então sofremos a humilhação extra de sermos vistas pelos garotos em nossos trajes de ginástica imundos. Faz muito frio e ainda estamos em outubro. Nova Jersey nunca ouviu falar em outono? Correr nessas condições árticas faz meus pulmões doerem e minha garganta arder. Impossível acreditar que correr nos faça bem. Ao menos existe a possibilidade de eu ver Tobey e me distrair.

Entramos na pista. Reluto, mas começo a correr. Maggie está falando de seus pais. Que eles brigam muito quando o pai está em casa. E que a mãe dela sofre quando ele não está.

— Você sabe qual é o problema? — pergunto.

— Ninguém me diz nada. Mas ouvi minha mãe dizer que, se meu pai não gosta mais dela, ele deveria admitir e parar de fingir.

— E o que ele disse?

— Não ouvi. Acho...

— Tá malhando? — ouço alguém perguntar atrás de mim. — Seu braço está *muito mais* forte que antes!

Eu me viro para ver quem é. E no mesmo instante me arrependo. Pensei que Tobey gostasse de mim, só de mim.

Cynthia disse "antes"? Então eles saíam juntos? Logo ela? Pensei que Tobey tivesse dito a Laila que gostava de mim. E só por isso mudaremos de parceiros em teoria musical na semana que vem. O que está acontecendo?

Apresso o passo.

— Algum problema? — Maggie pergunta.

— Depois te conto — murmuro. Odeio sentir ciúme.

Tenho pensado muito em Tobey. Muito mais do que em Dave. O que é muito estranho, porque nem o conheço direito. Mas Tobey me parece boa pessoa. E tem uns olhos... Às vezes nem consigo dormir.

Este dilema é urgente. Conferência no Burger King na hora do almoço.

É uma tradição nossa, de Laila, de Maggie e minha, irmos para o Burger King quando temos algo importante para conversar. Mas não é uma tradição nossa ter um namorado esperando. Decidimos o que vou dizer a ele a caminho da lanchonete.

— Diga apenas que nós vamos lá — diz Maggie.

— Não posso.

— Por que não? — Laila pergunta. — Ele prendeu você numa coleira? Você faz o que quiser.

— Qual é a emergência, afinal? — Maggie pergunta.

— É complicado demais para explicar agora — digo.

— Ah — diz Laila. — Achei que finalmente fosse nos contar sobre você e o seu objeto de desejo.

— Aconteceu alguma coisa com o Dave? — Maggie pergunta.

— Não exatamente.

Dave está me esperando na mesa. No começo, quando me sentava com ele, ter um lugar guardado para mim ao lado de Caitlin e Matt era muito bom. Agora é constrangedor. Como se eu não pudesse escolher o que quero fazer. Pior ainda é praticamente ignorar Maggie e Laila só para me sentar com eles.

Nós nos aproximamos de Dave.

— Tem ideia do que possa ser isto? — ele mostra a bandeja.

— É avestruz — Laila diz.

— Hã?

— Avestruz, uma ave nativa da Austrália que não voa e é enorme. Eles devem ter importado — Laila explica.

— Tem alguma coisa que você não saiba? — Dave pergunta.

— Tem...

Ninguém diz nada.

— Bom, nós vamos para o Burger King — digo a Dave.

— É? Mas... eu gostaria de ficar aqui hoje.

— Fique... Nós estamos indo.

Dave não gosta da ideia:

— Ah, tudo bem!

Matt e Caitlin chegam como duas celebridades.

— Oi, Sara! — Caitlin ignora totalmente as minhas amigas.

— Então... Tchau — me despeço de Dave.

Ele se levanta e me dá um beijo na boca. Com raiva.

Na saída, vejo Tobey sentado do outro lado da lanchonete, com as mãos no rosto. Ele viu tudo que aconteceu. Sinto uma vontade súbita de correr até lá para dizer que o beijo não significou nada para mim. Que o motivo de estarmos saindo é que preciso conversar a respeito dele. Gostaria que Tobey soubesse. Mas é tudo bobagem. Todo mundo sabe que, quando você diz a um garoto que está apaixonada, ele perde o interesse.

Em cinco minutos estaremos no Burger King. Não temos uma hora de almoço. Temos 45 minutos. Como o tempo é curto, vou direto ao assunto ainda no caminho.

— Posso contar uma coisa?

— À vontade — diz Maggie.

— Eu não dava a mínima para o Tobey antes.

— Eu sabia! — Laila grita. — Eu sabia que era sobre ele!

— Fale um pouco mais alto. Acho que na África ainda não estão ouvindo.

— Ah, então você admite.

— Alguém pode me explicar o que está acontecendo? — diz Maggie.

Chegamos ao Burger King. Espero Laila atualizar Maggie sobre o que ela não sabe. Assim haverá menos interrupções quando eu contar a minha parte.

Nós nos sentamos e fazemos o pedido. Maggie diz:

— Não sabia que você gostava dele! Nunca me contou nada!

Disfarço, abrindo um sachê de mostarda para os meus anéis de cebola.

— Gente, nós temos pouco tempo. — Laila começa a comer o sanduíche.

Não sei por onde devo começar. Como explicar às amigas o que a gente não explica nem a si mesma?

— Vamos lá, eu ajudo — Laila se adianta. — Quando saímos, Sara não olhou para Tobey primeiro. Isso quer dizer que o Tobey estava olhando para Sara primeiro. O que por sua vez quer dizer que ele gosta dela, mas disso já sabemos, porque ele me contou. Então, o meu palpite é que estamos aqui para você nos contar que gosta do Tobey. Porque vocês dois se paqueram todo santo dia. Além disso, como ter Robert como parceiro não é motivo para celebrar, dentro de alguns dias serei obrigada a assistir você flertando com o Tobey *e* ainda por cima cuidar daquela criança. Eu disse tudo?

— Acho que sim.

— E então — Laila continua —, o que você vê nele? As médias dele são baixíssimas. Para onde ele irá no ano que vem? Para a Faculdade do Condado de Morris?

Pingo um pouco mais de molho tártaro no meu sanduíche de peixe.

— Só porque ele não tem média A não significa que seja burro — diz Maggie, e olha para mim. — Mas por que você gosta dele? Além de ser bonito, claro, porque Dave é mais.

— O que sinto pelo Tobey é completamente diferente.

— Diferente como? — Laila me desafia.

— Sinto uma... uma intensidade que não tenho com o Dave. Como se... As poucas vezes que estivemos juntos eu me diverti muito... E ele é um cara seguro de si... É o que eu mais gosto nele. Difícil explicar. — Como é possível traduzir as coisas do coração? — E o Dave foi tão insensível lá no shopping com Robert e Joe.

— Aquilo foi horrível. — Maggie mastiga uma pedra de gelo.

— Bom, eu não sei o que deu nele lá na mesa da lanchonete — diz Laila —, mas tá na cara que ele não quer que a gente se sente lá.

— E daí?! — Maggie ironiza. — A gente também não quer.

— Sabe, eu gosto de algumas coisas nele, mas... faltam tantas outras.

Maggie concorda.

— É... vazio, não é?

— É. Não é como eu pensei que fosse. Fico me esforçando para me sentir bem, esperando que ele seja como eu quero.

— E como você gostaria que ele fosse? — Laila pergunta.

— Mais verdadeiro. — Sorrio para Laila, que está na minha frente. Ela nunca namorou ninguém, por isso não pode entender tudo que estou dizendo. Mas sei que uma parte ela entendeu.

Laila também me sorri.

— Vai ser ótimo ter você de volta na nossa mesa em período integral.

— Não sei o que você vê naquela gente — Maggie comenta, irritada. — Eles dão tanta importância à popularidade!

— É mesmo. Eles se acham o máximo. E o Dave continua virgem.

— É isso que eu não entendo — diz Maggie. — Um garoto tão bonito!

— Ele ainda quer transar? — Laila pergunta.

Faz mais ou menos uma semana que ele usou aquele truque nojento da camisinha e já repetiu duas vezes. Ao menos agora ele está sendo mais decente e a gente namora um pouco mais antes de ele começar a pedir.

— Criou vergonha, mas ainda insiste.

— Que infantil! — Maggie exclama.

— Tobey não seria tão patético — Laila acrescenta.

— Como você sabe?

— Tá na cara, não está?

— O quê? — pergunto. — Não me diga que agora você vai com a cara dele.

— Não sou eu quem vai convencer você e o Tobey a ficarem juntos — diz Laila. — Mas, sabe... — ela move a cabeça — ...quando ele me falava de você, vi nos olhos dele... sinceridade, honestidade, segurança. Nunca tinha visto... É a primeira vez que vejo esse olhar num garoto.

Maggie e eu olhamos espantadas para Laila.

— *AimeuDeus* — diz Maggie. — Você ouviu isso?

— O quê?

— Violinos tocando. — Maggie brinca. — Só eu que ouvi ou a Laila acha o Tobey bonito?

— Eu não disse que gosto dele todo, só dos olhos — Laila insiste.

— Ohhhh! — Maggie e eu exclamamos. Ouvir Laila dizer algo remotamente positivo a respeito de um garoto é um avanço e tanto.

— É uma pena que os garotos não sejam como o Sr. Cabeça de Batata — diz Maggie —, que a gente pode escolher e grudar o nariz, a boca e os olhos que preferir. Vamos ter que encontrar alguém que corresponda aos seus padrões.

— Não vão encontrar nunca! E você, o que pretende fazer? — Laila me pergunta.

— Não sei.

— Vai terminar com o Dave?

— Espere — Maggie interrompe. — Vocês não vão trocar de parceiros na semana que vem?

— Nem me lembre disso — Laila pede.

— Dê tempo ao tempo — Maggie aconselha. — Conheça Tobey melhor e veja se ele é quem você imagina que seja. Enquanto isso, vai oscilando entre os dois.

— Oscilando? — pergunta Laila. — O que houve com o seu vocabulário?

— Faz parte da minha meta.

Nós olhamos para ela sem entender nada.

— Vocês sabem. Ser mais inteligente.

Arregalamos os olhos.

Maggie ergue a mão como que dizendo, *esperem até ouvir esta.*

— Estou estudando o dicionário.

— Quer dizer, do começo ao fim? — pergunto.

— Não. Estudo dez palavras por dia. Depois escolho uma para usar pelo menos três vezes ao dia até memorizar.

— E as outras nove? — Laila pergunta.

— Ah, sim... Também estou memorizando.

Laila se volta para mim.

— Acho que você deve dispensar o Dave. Se já está sentindo alguma coisa por outra pessoa, a sua relação com o Dave não anda bem.

Maggie concorda.

— E o Tobey é do tipo que vai se sentar na nossa mesa.

Voltando para a escola, Laila e Maggie continuam discutindo a minha situação. Mas eu não estou mais ouvindo, porque elas estão certas. O Dave não me satisfaz mais. Vejo-me dançando com Tobey ao som romântico da Dave Matthews Band e me sentindo muito feliz. Ponho essa imagem numa bolha cor-de-rosa e deixo que o universo decida.

Mas eu também já me decidi.

Capítulo 22

Pontinhos

27 de outubro, 14h54

Sara acabou de entrar na sala; estou nervoso. Tiro um fiapo da cadeira dela.

Dou uma olhada para Laila. Parece que ela e Robert já estão brigando. E a aula ainda nem começou. Robert preferiu continuar nesta classe, mas o sr. Hornby disse que ainda fará mudanças, e eu espero que faça mesmo.

Sara senta-se ao meu lado.

— Oi — digo.

— Oi — ela responde.

De repente, me sinto calmo. É incrível! Parece que já nos conhecemos há muito tempo.

Estamos fazendo aquecimento, o que envolve muitas palmas e "ta-tata-ta... ta". Você diria que todos que estão aqui querem muito estar aqui. É um conforto se sentir rodeado por gente competente com propósitos similares.

Finjo ouvir o que sr. Hornby está dizendo, mas sei que Sara está olhando para os joelhos puídos do meu jeans. Eu sabia que deveria usar um jeans menos *grungy.* Sara retira da mochila *As Quatro Estações,* de Vivaldi. Eu estranho, porque o sr. Hornby está dizendo que faremos *Remembering the Beatles.*

— Sara?

— Oi?

— A gente vai fazer o...

— Eu sei. Só quero ver uma coisa.

Idiota! Ela não é boba. Sabe muito bem o que está fazendo. Por que fui dizer isso?

— Desculpe.

— Tudo bem.

Quando começamos a trabalhar, eu me sento mais perto dela. Sara cheira a flores. Não porque use perfume, mas porque é-assim-que-ela-é.

Sinto-me bem ao lado dela. Nós temos uma ligação!

Sara vira a cabeça para mim e me pega desprevenido olhando para ela. De repente, estou apaixonado, suado, sinto o coração disparar. Não sou mais Tobey Beller. Não sei como consigo falar nestas condições, mas pergunto:

— Você toca algum instrumento?

— Toquei violino até o ano passado.

— E não toca mais?

— Na verdade, não. Este ano não está dando tempo.

Não me incomoda mais que a falta de tempo de Sara tenha a ver com aquele babaca.

— Eu também — digo. — A turnê mundial, a gravação do novo disco... o assédio dos fãs...

Ela ri.

Yes!!!!!

A aula começa. Sara fica bem impressionada com a análise que faço do compasso. E eu mostro que as notas que ela está lendo são as trigésimas segundas e não as décimas sextas, como deve ser. É bom que ela saiba que meu cérebro também funciona.

Terminamos antes dos outros pares. Por um segundo, entro em pânico por não encontrar nada engraçado para dizer. Mas Sara diz primeiro:

— E aí, vai se increver?

— Inscrever para quê?

— Ha ha! Muito engraçado.

— Quer dizer.... para a faculdade?

— Claro!

Ah. Agora vem a parte em que eu saboto tudo dizendo que ainda estou pensando no que vou prestar. E ela terá um motivo para pedir ao sr. Hornby que a troque de parceiro.

— Hum... Ainda estou eliminando opções. E você?

— A minha primeira opção é a NYU.

— Você já sabe para onde quer ir?

— Desde o oitavo ano.

— Que sorte! — É assustador.

— Nem tanto. É um objetivo que tenho há tanto tempo que...

— Já sabe o que quer ser?

— Vou ser planejadora urbana... voltada principalmente para a arquitetura e o design de interiores. Gosto de estética.

E eu perdendo tempo com aquelas garotas estúpidas!

— E você? — ela me pergunta.

— Eu? Ainda não tenho certeza, mas devo fazer alguma coisa ligada à música. Toco guitarra desde os cinco anos e tenho uma banda com...

— Eu sei.

— Pois é. Nós estamos num novo momento, uma virada, chegando a alguma coisa importante, e provavelmente vamos estourar... gravar um disco... essas coisas. Estou pensando em me inscrever numa escola de música... O sr. Hornby quer que eu me inscreva onde ele estudou.

— É?

— É.

O que exatamente ela quis dizer com "É?". Seria: *Você está muito além das minhas expectativas*. Ou: *Você é tão vadio que ainda nem sabe o que quer fazer da vida*?

Sara procura Laila. A amiga está a ponto de tacar a estante de música na cabeça de Robert.

— E então? — pergunto.

— Então o quê?

— Sabe jogar Pontinhos?

— O que é isso?

— Nunca jogou Pontinhos?

— Acho que não.

— Olha só. — Abro meu caderno espiral numa página nova. — Com licença. Esta é uma habilidade que todos devem ter. Sua vida não estará completa sem uma excitante partida de Pontinhos a qualquer momento.

Será que ela achou graça? Ergo a cabeça e Sara está olhando para mim como se eu fosse louco.

— Que foi?

— Nada.

Começo a preencher a página com pontinhos.

— Bom. Quando você faz isto, é muito importante que as fileiras e as colunas estejam vazias. Então você usa as linhas como fileiras e faz os pontinhos a esta distância...

A campainha toca.

Já? É a primeira vez na minha vida que não quero que a aula termine.

— Tudo bem — digo. — Retomaremos na próxima aula.

— Não perca essa página!

— Não vou perder. A gente se vê.

— Até.

Depois, encontro Mike no saguão.

— E aí? — ele pergunta.

— Sabe como é, joguei o maior charme. Juro que a qualquer momento ela termina com o Dave.

— E vai dar um pé na sua bunda quando descobrir que você é um fracassado. É só uma questão de tempo.

Capítulo 23

Gosto de uma caneta boa

27 de outubro, 14h54

Normalmente gosto de testar por quanto tempo posso ficar na cama depois que o despertador toca, levando em consideração que ainda deve dar tempo para eu pegar o ônibus.

Mas, hoje, meia hora antes eu já estava de pé. Pulei da cama como se ela estivesse em chamas.

O ponto alto do dia foi escrever um complicado problema de cálculo que não acabava nunca na lousa, e no fim não era o problema certo.

Não pensei em outra coisa desde que me levantei. E agora estou aqui.

Quando entro na aula de teoria musical, Tobey já está lá. E Robert está sentado ao lado de Laila.

O sr. Hornby se aproxima de mim:

— Sara, podemos falar um minuto?

Ele me leva para um canto da sala e conversa comigo como se fôssemos velhos amigos.

— Eu disse a Tobey que ele faria dupla com outra pessoa a partir de hoje — o sr. Hornby enfia a mão no bolso e brinca com algumas moedas. — Ele sugeriu que fosse você. Acha você inteligente e diz que vocês têm gostos parecidos para música. Você vai fazer bem ao

Tobey; ele vai se sentir mais motivado. Laila e Robert também aceitaram a troca de parceiro — ele limpa a garganta. — Algum problema se você trabalhar com o Tobey de hoje em diante?

Procuro me lembrar como faço para falar.

— Não — digo alto demais. Tenho medo de que Tobey tenha escutado e pense que eu não queira trocar. — Não tem problema.

— Ótimo — o sr. Hornby sorri aliviado por eu não ter criado problema. — Obrigado, Sara.

— De nada.

Ele espera eu me sentar ao lado de Tobey para começar a explicar o que faremos hoje.

— Oi — diz Tobey.

— Oi — respondo.

Então a minha partícula de segurança se desintegra como um meteorito que se queima ao entrar na atmosfera.

A cadeira de Tobey está virada para mim porque vamos trabalhar em dupla de agora em diante. Não tenho para onde fugir. Ele está sentado com as pernas abertas e os braços cruzados. Olho para a camiseta amarela onde se lê ATARI escrito em verde, os jeans desbotados com os joelhos puídos, o tênis All Star de cano alto... Olho para tudo, menos para ele. Olho para os braços musculosos. Para a virilha... Mas logo desvio o olhar.

Fico vermelha como se tivesse uma febre letal. Tobey me viu olhando para a virilha dele. Agora vai pensar que eu o desejo. É verdade, mas ainda não quero que ele saiba disso.

O sr. Hornby termina alguma coisa que estava dizendo. Todos pegam a folha pautada. Finjo que ouvi tudo o que ele disse e pego a primeira folha que encontro no fichário.

— Sara? — diz Tobey.

— Sim? — Acomodo a página na carteira.

— Acho que vamos fazer...

— Eu sei — interrompo-o, em pânico. Que vergonha! Agora ele vai pensar que eu o desejo *e* sou desajeitada. — Só queria ver uma coisa — finjo analisar umas notas no terceiro compasso. Pelo canto do olho, vejo Tobey pegar *Remembering the Beatles*. Espero alguns segundos para pegar a minha cópia.

— Então — ele começa —, agora formamos uma dupla.

— É o que parece.

Sorrio para que ele saiba que estou feliz por isso. Ele também sorri, e meu coração faz uma sequência inteira de exercícios.

— Tudo bem pra você? — ele pergunta.

— Claro, está ótimo.

Não ponho a página na carteira para que ele não veja que estou tremendo; cruzo as mãos no colo.

Nós conseguimos terminar o trabalho durante a aula. Tobey se dedica muito, porque logo estaremos escrevendo a nossa música. Gosto de música e admiro quem gosta ainda mais do que eu. Quando Tobey me diz que já escreve suas próprias canções, eu deliro.

Gosto do jeito como trabalhamos juntos. Nos ajudamos mutuamente sem sermos chatos. Achamos graça das mesmas coisas. Sinto uma ligação instantânea com ele, como se já nos conhecêssemos há muito tempo. É um sentimento forte. Gostaria de saber se ele também sente, mas não sei como.

O sr. Hornby se aproxima e vê que terminamos o trabalho antes de todo mundo. Dá uma olhada e acha ótimo.

— Vocês dois trabalham bem juntos — ele diz.

— Parece que sim. — Tobey olha para mim, e seus olhos estão brilhando.

São totalmente hipnóticos.

— E aí, onde você se inscreveu? — pergunto.

— Inscreveu para quê?

Excelente senso de humor! Ele fala tão sério que ninguém diria que é brincadeira. Mas então parece que ele não sabe mesmo o que quer fazer. E ele não responde à pergunta. Eu sei que ele tem uma banda e que é considerado um bom músico, mas será que ele pensa que essa fantasia de rock star vai durar a vida toda?

Laila e Robert estão discutindo. É porque ele misturou todas as pautas. Me sinto mal por ela ter ficado com ele. Mas não o suficiente para trocar de lugar outra vez ou qualquer outra coisa. Estou lhe devendo mais uma.

— E então? — ele me pergunta.

— Então o quê? — respondo.

— Sabe jogar Pontinhos?

Sinto aquele calafrio de excitação. Sou louca por jogos. Mas ninguém quer jogar mais nada hoje em dia.

— O que é isso? — pergunto.

— Nunca jogou Pontinhos?

— Acho que não.

Tobey abre o caderno e escreve *Pontinhos - Sara e Tobey - Jogo Um* no alto da página.

Olho para a camiseta dele e fico imaginando se é macia.

Não sei o que está acontecendo. O que isso significa. Parece que não está acontecendo nada e ao mesmo tempo está acontecendo tudo.

— O que foi?

Acho que eu estou de boca aberta.

— Nada — digo.

— Gosto de uma caneta boa.

— Eu também.

Sou obcecada por uma boa caneta. Scott não percebia a diferença entre uma caneta de 1 dólar e uma Gelly Roll. Isso me deixava louca da vida.

A aula termina. Muito rápido. Eu ficaria aqui o dia inteiro jogando Pontinhos com Tobey.

Quando ele sai, corro para Laila.

— Muito, muito obrigada! — digo. — Devo isso a você.

Estou animadíssima, porém exausta.

— Me deve o quê? — É claro que Laila percebe que estou exausta.

— Como foi com o Robert?

— Enlouquecedor. Ele não sabe a diferença entre uma colcheia e uma semicolcheia. Sabe, estamos praticamente em novembro. O que ele fez o ano todo?

— Você disse isso a ele?

— Não, mas deveria.

— Tem certeza de que quer fazer essa troca? — pergunto. — Porque eu posso ficar com você.

— Não pode, não. Algo verdadeiro está acontecendo. Inútil resistir. — Laila parece resignada.

— Você sempre tem tanta certeza! Nunca tem dúvidas?

— Claro que tenho, mas não conte a ninguém que sou humana. Meu pai pode matar você.

Capítulo 24

O Sr. Aplicado

28 de outubro, 12h39

— Meu pai vai me matar se souber que eu fui mal em espanhol — diz Josh.

— Isso não é nada perto do que a minha mãe vai fazer comigo — diz Mike. — Tirei D em história.

— Revoltante! — comento.

— Só porque você não tá nem aí com a faculdade... — Mike abre seu pacote de amanteigados. É a única coisa decente que temos para comer.

Mike estaria certo se estivesse falando de como eu era. O Sr. Cara Vadio. Mas um novo eu está surgindo para que ela saiba que somos igualmente inteligentes. Agora sou o Sr. Aplicado.

Foi outro dia que, pela primeira vez, senti vontade de estar com a Sara. Achei que fosse possível conquistá-la. Eu senti isso. Foi quando ela olhou para mim... Eu queria me deitar com ela no chão e fazer amor ali mesmo. Sei que não teria aquele pânico que sempre tinha quando transava com Cynthia. Queria sair de perto o mais rápido possível sem magoá-la. Com Sara, eu ficaria muito mais tempo.

— Pois saibam que conversei com o sr. Hornby sobre isso ainda ontem — comuniquei.

Mike parou de comer.

— Conversou o quê?

— Sobre a faculdade.

— Por quê? — Josh pergunta.

— Bom... Estou pensando em me inscrever.

Mike me olha como se eu tivesse acabado de anunciar que odeio guitarra e que passaria a ocupar meu tempo jogando Yu-Gi-Oh! Entendo o choque dele. Hoje eu me sinto outra pessoa. Totalmente movido a testosterona e ao desejo de impressionar uma garota fenomenal.

Desde que Mike me conhece, eu digo que a faculdade não é para mim. Que viver intensamente é a única maneira de aprender alguma coisa que valha a pena. Mas então Sara me olhou de um jeito estranho quando eu disse que ainda não tinha planos. Foi um olhar muito rápido, mas deu para notar. Era alguma coisa parecida com reprovação. O que em geral não me incomoda, mas, vindo dela...

Mike limpa as migalhas de bolacha da mesa.

— Tá falando sério?

— Estou. O sr. Hornby disse que a Manhattan Music Academy é muito boa. É onde ele estudou, e ele disse que pode me recomendar. Ele acha que eu consigo entrar se melhorar minhas notas este semestre.

Josh olha para Mike.

— Ele tá falando sério.

Inclino-me para trás e cruzo os braços.

— O sr. Hornby acha que eu consigo entrar. Ele disse que eu tenho chance na audição e com a fita demo.

— Tá mesmo — Josh concorda com Mike.

— Quando terminar a aula, vou dar uma olhada nos pré-requisitos; podemos começar o ensaio meia hora mais tarde?

Mike e Josh apenas olham para mim.

— Tá bom — Mike começa. — Afinal, o que foi que aconteceu?

— O quê?

— Como foi que isso aconteceu tão de repente?

— Não posso mudar de ideia?

— Todo mundo pode. Mas você? Sobre a faculdade? Difícil!

— Sabe aqueles seus planos para eu conquistar a Sara? — pergunto.

— Todos ótimos e sólidos como uma rocha — Mike diz.

— Deu tudo errado? — Josh pergunta.

— Basicamente falharam, não posso...

— Falhar é a palavra-chave — Josh aponta.

Mike ignora Josh.

— Como assim?

— Não posso obrigá-la a gostar de mim. Ou fingir que sou de algum outro jeito. Se eu ficar me jogando pra cima dela, vou dar bandeira de que estou desesperado. E as garotas não gostam disso.

— Você anda assistindo à Oprah? — Josh pergunta.

— Vá se danar! Tô falando sério. Ficar correndo atrás não funciona.

— Mas meus planos eram ótimos — Mike insiste. — E tem uma coisa: você acha mesmo que a Sara sairia com você se não estivesse com o Dave?

— E por que não?

— Não sei. Ela nunca notou você antes. E você não faz o tipo dela.

É claro que já pensei nisso. Iria contra todos os códigos de ética sociais do ensino médio Sara sair comigo. A Sociedade Nacional de Honra dos Inteligentes não aceita vadios e marginais. E eu sei que ela se importa com o que os outros pensam. Mas nós temos uma ligação. Isso não dá para negar.

— Ela ainda está conhecendo você — diz Mike. — As mulheres são assim mesmo. Baseiam-se em quanto gostam em nível emocional. *Primeiro* querem conhecer a personalidade para decidir se querem ou não ficar com você. Mas, se um cara acha uma garota sexy, ele só vai pensar na personalidade dela depois. São dois universos diferentes, cara.

— Vocês dois andam assistindo à Oprah! — Josh resmunga.

Continuo pensando no que Mike disse quando entro na sala da orientadora. Será tudo mesmo tão diferente entre homens e mulheres? Sem dúvida, a gente está mais a fim de sexo. Mas será que no fundo os dois não querem a mesma coisa? Encontrar alguém que nos faça feliz?

Encontro o catálogo do curso da Manhattan Music Academy. Levo para a mesa e me sento. O bom desta faculdade, além de ser uma excelente escola de música, é que a primeira escolha de Sara é a NYU. As duas ficam na mesma rua.

Vou direto para a página de pré-requisitos. A média mínima exigida é 3.0. A minha é 2.9.

— Oi, Tobey.

A sra. Everman está na minha frente.

— Oi.

— Isso é um catálogo de curso?

— É. O sr. Hornby conversou comigo sobre a Manhattan Music Academy...

— Que instrumento você toca?

— Guitarra.

— Acústica ou elétrica?

— As duas.

— Qual é o prazo de inscrição? — ela pergunta.

Procuro na última a página.

— Quinze de dezembro.

— Então você encontrou a luz no fim do túnel.

— Acho que sim.

— Que pena que não foi um pouco antes. Mas acho que vamos conseguir fazer alguma coisa. E os testes de audição da MMA não são em fevereiro?

— São.

Ela se senta ao meu lado.

— Qual é a sua média?

— Acho que 2.9.

— Você vai precisar de mais notas A neste semestre, o que é possível se você se concentrar. A questão é: está disposto a conseguir?

— É.

— É o quê? Está ou não disposto?

— Estou disposto.

A sra. Everman sorri.

— Ótimo. Então vamos começar.

Quando paro o carro na frente da casa de Mike, estou pensando no questionário de inscrição que tenho que preencher, nas cartas de recomendação, na fita demo e nas dissertações que preciso anexar, além de me preparar para o teste de audição. É muita coisa. Agora entendo por que todo mundo é tão estressado. A sra. Everman me ajudou a encontrar outras escolas onde também posso me inscrever. Não sei como vou conseguir reunir todo o material necessário, ter notas mais altas e me preparar para a Batalha das Bandas no mês que vem.

Entro na garagem meio zonzo.

— Cê tá legal? — Josh pergunta.

— "À beira de um ataque de nervos" te diz alguma coisa? — Ponho a guitarra no chão.

— Dá pra sentir, cara — Mike balança a cabeça. — Minha mãe não larga do meu pé.

— Ela precisa se acalmar — diz Josh. — O estrago tá feito. As faculdades não estão mais preocupadas com as nossas notas. Elas só querem saber o que fizemos até este ano.

— Nem tanto — digo. — Parece que o que mais interessa são as notas deste semestre. Por isso tenho mais chances de entrar.

— Mas as suas notas são péssimas — Josh bate num tambor.

— O que vale é a média.

— É mesmo? — Mike pergunta.

— Preciso tirar notas mais altas de agora em diante. Então terei alguma chance.

— E quanto ao último semestre? Você não foi mal?

— Foi um desastre. Mas a sra. Everman disse que vai falar com os meus professores para ver se me deixam refazer os trabalhos. Prometi que farei todos. E aí as minhas notas podem mudar.

— Não brinca! — diz Josh. — Como conseguiu isso?

— Eles abrem algumas exceções.

— Deixa ver se eu entendi — diz Mike. — Você vai terminar todos os trabalhos que não fez? E fazer tudo que pedirem daqui pra frente? E preencher os formulários de inscrição? *E* ensaiar?

— É, vou tentar.

— Parabéns! — Mike se aproxima de mim e aperta a minha mão. — Bem-vindo ao mundo real!

Capítulo 25

Você sabe

3 de novembro, 10h13

Estou tremendo e não consigo desenhar. Esta noite tive um sonho muito intenso com Tobey. Um desses sonhos que são tão reais que a gente se sente dentro dele durante todo o dia. Me sinto nas nuvens e precisando dormir mais.

Minha mão, que parece ter vida própria, bate no copo de água. A água se esparrama pela bancada de trabalho e molha meu livro de cálculo.

Corro para pegar papel-toalha e puxo metade do rolo. Tento enxugar freneticamente o meu caderno. Então ergo o braço. Preciso urgentemente conversar com alguém que possa me aconselhar. O sr. Slater é o único adulto com quem posso falar.

O sr. Slater se aproxima.

— O que está havendo? — ele pergunta, com sua calma habitual.

— Veja só o que aconteceu — digo em voz baixa.

Dou uma olhada para Scott. Por que será que estamos sempre na mesma classe? Sou perseguida por um relacionamento cármico.

Scott para de escrever. E, lentamente, ergue a cabeça na minha direção.

Eu e o sr. Slater olhamos para ele.

Scott pega seu caderno de desenho e seu carvão e transfere tudo isso para outra mesa.

Calmamente, pergunto ao sr. Slater:

— Sabia que estou saindo com o Dave?

Ele move a cabeça afirmativamente.

— É... Mas estou muito interessada em outra pessoa.

— E o que você sente pelo Dave?

— Não sei. Não é o mesmo que antes. Ele não é quem eu gostaria que fosse.

— Como assim?

— No verão eu queria ficar com ele. Pensava nele o tempo todo. Fazia uma ideia dele que... Mas ele é... O fato é que ele só faz o que seus amigos querem, e eles não têm nada a ver comigo. E... A distância entre nós é ainda maior quando se trata de bom humor. Ele é...

— O que você está sentindo por esse outro rapaz?

Meu rosto se ilumina num sorriso.

— Ele é... — Tentar traduzir tudo o que sinto por Tobey em palavras é o mesmo que tentar descrever o que diferencia uma cor da outra.

Olho para o sr. Slater e digo:

— Ele é verdadeiro.

— Muito profundo — comenta o sr. Slater, aprovando com um movimento de cabeça. — Então, por que você ainda está com o Dave?

— Não quero que ele fique magoado. E todo mundo sabe que os relacionamentos precisam ser trabalhados.

— Os bons relacionamentos não são tão difíceis a ponto de você passar mais tempo infeliz do que feliz.

Pego o carvão de desenhar.

— Sara, quando é que essa sua história com o Dave vai terminar? Vocês vão para a mesma faculdade no próximo ano?

— Não, isso é outra coisa. O Dave não tem boas notas. Ele é muito bonito, mas eu preciso de um namorado que seja pelo menos tão inteligente quanto eu.

— Então esse namoro vai ter que acabar, não vai?

Não respondo nada.

O sr. Slater continua:

— Mesmo que vocês mantenham um relacionamento a distância, no que, diga-se de passagem, eu não acredito, um dia vai acabar.

— Por quê?

— Você quer passar o resto da vida com o Dave? — Então ele rasga um pedaço de papel e pega um pequeno pedaço de carvão no meu estojo. Escreve alguma coisa e passa para mim.

Eu leio:

O tempo se encarregará

— Enquanto você estiver esperando — ele continua —, não aceite nada que não queira muito.

Ele tem toda a razão. Sinto que quase esqueci o que estou procurando. Lembro-me daquele garoto que descrevi na página do mapa do tesouro antes de sair com Dave pela primeira vez. Desde então, estou esperando que ele entre em minha vida.

Tiro o caderno da mochila e abro naquela página. Todas as palavras que escrevi ali descrevem uma única pessoa.

E só então me dou conta de que algo está acontecendo. Porque quando acontece, de verdade, você sabe.

— É mais legal aqui, nestas mesas individuais — digo.

Convidei Dave para tomar lanche comigo neste lugar. Quero ter alguma privacidade para conversar com ele. Mas não sei se vou conseguir...

— Por quê?

— Ora, por quê? Porque a gente não está numa mesa cheia de gente. — Giro nos dedos um açucareiro antiquado.

— Não, quer dizer, que diferença faz onde você se senta? — Dave retruca. — A gente vai comer de qualquer maneira. Que importa se você está sentado numa mesa de refeitório ou numa mesa individual?

Não dá pra acreditar que ele seja tão alienado. Este é apenas um dos muitos exemplos que comprovam que Dave e eu não somos almas gêmeas. Nas últimas três semanas, ele não entendeu o seguinte: por que eu tenho que estudar diariamente, por que gosto de abajur e não de iluminação direta, por que assistir a jogos não é um bom programa para mim, por que fico tão chateada quando tiro B em alguma matéria e por que não estou pronta para transar. E agora ele não está entendendo por que alguém que nem pretende almoçar prefere se sentar numa mesa isolada em vez de sentar-se no refeitório. Eu sei que são pequenas coisas. Mas todas elas, somadas, formam o grande quadro da minha vida. E, se alguém não entende isso, também não me entende.

E, se ele precisa me entender, não deveria me entender desde já?

— É uma questão de estética — eu digo.

— Como assim?

Isso não é coisa que se explique. Se você tentar explicar como é sentir seja o que for, a mágica desaparece. Então, respondo:

— Deixa pra lá.

Estou ficando deprimida.

Tem mais uma coisa me incomodando. Dave costuma me levar de carro para casa e ficar lá por algum tempo. Ultimamente tenho sentido cada vez mais forte uma espécie de falta de liberdade. Eu preciso ficar sozinha.

— A propósito — começo —, você não precisa mais me levar de carro para casa todos os dias. Às vezes, preciso ficar sozinha por um tempo.

O silêncio é tão longo que parece que não conversamos há uns setenta mil anos.

Por fim, ele diz:

— Ok, vamos recomeçar.

Como se fosse tão fácil.

Continuo a comer sem olhar para ele. Mas logo me sinto mal e digo:

— Vamos fazer o Jogo dos Favoritos.

— Ótimo. Você começa — ele diz.

— Hum... A melhor cena de filme de todos os tempos.

— Deixa eu ver... — Dave começa a pensar e eu já me arrependi de ter sugerido isso. Esse jogo só é bom de jogar com quem você quer conhecer melhor.

Depois de uma descrição-longa-e-chata de um filme que não me interessa, ele pergunta:

— Qual é a sua?

— Lloyd erguendo um aparelho de som sobre a cabeça.

— Quem?

Não é possível que ele não saiba.

— Dave, sabe aquele pôster imenso que eu tenho no quarto? Do John Cusack erguendo um aparelho de som?

— Ah... é mesmo.

— Lembra... Eu já falei disso com você. — Mas Dave alguma vez perguntou sobre aquele pôster imenso no meu quarto? Não seria a primeira coisa que você perguntaria se entrasse no quarto de alguém pela primeira vez? Dave nem olha para as minhas coisas. E nem pergunta nada a meu respeito. Ele só se importa com o que os amigos dele pensam de mim.

E agora só tem uma coisa na cabeça quando estamos no meu quarto. Ele nem se preocupa mais em usar a desculpa de eu ajudá-lo a fazer o dever de casa. Já começa a me beijar assim que eu me livro da mochila. E, quando estamos namorando, ele está cada dia mais impaciente.

— De que filme é mesmo? — ele pergunta.

— *Digam o que quiserem...*

— Ah, sim, agora tô me lembrando. — Ele mastiga e fala ao mesmo tempo: — Odiei esse filme.

— Você *odiou* o filme? — É simplesmente o filme que eu mais amo em toda a minha vida.

— É... sobre aquelas duas pessoas que se gostam. Mas tem toda aquela história do pai dela para separar os dois. Não entendi por quê. Se eles se amavam tanto, por que não ficaram juntos?

— Não é tão simples.

— Eu não entendi bem aquela cena. O que há de tão importante com aquele aparelho de som?

Essa foi a gota d'água.

Quando chego em casa, ponho *The Eminem Show* no meu CD player, uso os mesmos headphones que Marshall usa e aumento o volume no máximo. Então abro o caderno e pego a minha caneta favorita, a azul-clara que escreve suavemente, como seda líquida escorregando pelas páginas.

Escrevo o que eu espero que aconteça na minha vida. E por que o Dave não está me satisfazendo. Escrevo e escrevo até a mão começar a doer. Olho para o relógio: uma hora da madrugada. Mas não estou cansada.

Visto o pijama de ursinhos com debrum de cetim que costumo usar quando não estou feliz. Desligo a luz e me deito com o iPod.

E penso em Tobey.

Capítulo 26

Almas gêmeas

7 de novembro, 15h23

A PROBABILIDADE DE tocarmos nesse assunto antes do que eu previa é muito grande. Não costumo forçar nada, mas desta vez não dá para evitar.

Pergunto:

— Você acredita em almas gêmeas? — É uma pergunta atípica para um homem fazer, mas não há outra explicação para o que está acontecendo conosco. E Sara sabe que o que eu menos sou é uma pessoa típica.

Ela está estudando a página dos Pontinhos. Ainda é a mesma que começamos a preencher algumas semanas atrás. Agora a página está repleta de pontos dentro das colunas e fileiras. O objetivo dos Pontinhos é fechar mais quadrados que o adversário. Na sua vez, você traça uma linha unindo dois pontos consecutivos. Não pode fazer linhas diagonais. Quem completa o quadrado põe suas iniciais dentro dele. E toda vez que você completa um quadrado, pode traçar outra linha. A parte divertida é quando consegue fazer vários quadrados numa só jogada. A gente está jogando depois da aula, que terminou mais cedo.

— Claro que acredito — diz Sara, ligando dois pontos. — Você não?

— Acredito, sim. — Quero ser um livro aberto. Quero que ela saiba absolutamente tudo o que sinto.

Sara olha para mim e em seguida volta a prestar atenção no jogo. O rosto dela está cor-de-rosa.

— Sua vez — ela diz.

— Ok.

Finjo estudar a página. Mas na verdade estou tentando pensar nas palavras que devo usar para traduzir essa coisa mágica que está acontecendo entre nós. Ela precisa acreditar que pertencemos um ao outro.

— A gente não pode se acomodar — diz Sara.

— Jamais — reitero. Mas o que quero dizer é: *Então por que você está com aquele bobalhão do Dave?* — Acomodar-se é o caminho mais curto para a infelicidade.

— Exatamente. Como essas pessoas que saem com alguém só para estar com alguém. Aceitam qualquer coisa só para não ficarem sozinhas.

— Ou insistem em ficar com alguém mesmo sabendo que outra pessoa é melhor para elas.

Sara sorri e concorda, movendo a cabeça lentamente.

— Também tem isso.

— É, tem.

— Pois é.

E ficamos ali, nos olhando. Isso tem acontecido muitas vezes. É como se o muro que havia entre nós não existisse mais, embora alguma coisa ainda nos separe.

— E, quando encontramos a nossa alma gêmea — diz Sara —, é inevitável. Temos que ficar juntos.

— Essa é minha filosofia — digo, olhando-a fixamente: — Deixar acontecer.

— Exatamente. O universo nos leva a fazer as melhores escolhas.

— Você acredita em destino?

— Acho que sim, mas... acredito mais em viver de tal maneira que o destino se torne realidade. Entende?

— Entendo. — Eu adoro que ela seja tão zen. — Posso ligar pra você?

Sara não responde, e respira fundo. Meu coração dispara. Preparo-me para não me surpreender se ela disser não.

Ela abre o meu caderno e rasga um canto da página.

Ela vai me dar o telefone.

Sara escreve o número. Dobra o papel. Vira a minha mão para cima, aperta o papel dobrado sobre a palma e fecha meus dedos sobre ele.

— Aqui está — ela diz.

Yes!

— É o número do telefone da minha casa — diz. — Não tenho celular.

— Eu também não. Detesto.

— Eu também!

— Quem precisa falar tanto com outras pessoas?

— Pois é!

A campainha toca.

— Você ainda vai ficar por aqui?

— Talvez.

— Se ficar, onde vai estar?

— No laboratório de física. Provavelmente.

É onde eu a encontro meia hora mais tarde.

— Oi — digo.

— Oi.

Caminho ao lado dela. Tenho que me controlar para não tocá-la. Passamos por uma janela e paramos para olhar.

— Lembra quando a gente via as Torres Gêmeas daqui? — ela pergunta.

— Eu vinha aqui para ver. Todo mundo vinha.

— É mesmo.

Tudo está quieto. Não há mais ninguém por perto.

Ficamos ali um tempo sem dizer nada. Talvez uns três minutos.

Eu olho para ela.

Ela olha para mim.

Digo:

— Árvore favorita? — Sara me falou do Jogo dos Favoritos. É legal. Na classe, uma hora jogamos Pontinhos, outra hora o Favoritos. E já temos muitas coisas favoritas em comum.

— Salgueiro.

— Por quê?

— É uma árvore...

— É verdade.

— Sorvete preferido?

— Chocolate com menta.

— O meu também.

— Não brinca.

— Pois é.

— Como você vai pra casa?

— Vou pegar o ônibus.

É a chance que espero há tanto tempo:

— Posso levar você?

— Pode. Obrigada.

Todos os meus órgãos colidem na frente do estômago.

Nós descemos para o saguão tão próximos um do outro que posso sentir o calor do corpo dela. Somos os únicos que ainda estamos aqui, exceto por alguns professores que passam por nós sem nos notar.

Cruzamos com o sr. Hornby.

— Estão estudando a peça que vimos na aula de hoje, hein?

— Exatamente.

— Muito bem — o sr. Hornby segue pelo corredor.

Na porta, eu abotoo o meu casaco. Sara está tentando fechar o zíper do capuz, mas não consegue.

— Espere. — Ponho as mãos sobre as mãos dela que seguram o zíper. Devagar, puxo o zíper para cima. — Segure o cabelo.

Ela tira o cabelo do caminho.

Que vontade eu sinto de beijá-la!

Nós vamos para o carro. Tudo que imaginei que poderia acontecer quando a levasse para casa passa de novo pela minha cabeça.

— Que carro é este?

— Um Chevy Malibu. Você entende de carros?

— Não muito.

— Eu também não, por isso tenho este. Abro a porta para ela.

— Obrigada.

— De nada. — Vejo se a ponta do cachecol não ficou para fora antes de fechar a porta.

Quando dou a partida, a música estoura nos alto-falantes. Rapidamente abaixo o som.

— Quem é? — ela pergunta.

— R.E.M. Conhece?

— Não, mas já ouvi falar.

— Eu te empresto. Eles são fenomenais.

— Obrigada. E você, o que vai fazer nos feriados de fim de ano?
— Entro na Pine Street.

— Ah, o de sempre. Sobreviver às muitas visitas familiares. As bobagens de sempre. — Viro-me para ela. — Como se não bastasse a tortura que é o Dia de Ação de Graças.

— É mesmo! — ela concorda. — Não existe nada pior que participar de uma falsa cena da família feliz. Pior que isso, só as aulas no ginásio.

— Existem outras coisas ainda piores. — Ver Dave encostando a mão em você todos os dias, por exemplo. Aquele babaca.

Sara fica em silêncio por um tempo e em seguida me surpreende ao dizer:

— Eu não gosto da minha mãe.

— Por quê?

— Para ela, seria melhor que eu não existisse. Quando ela lembra que eu existo, é só para me dizer que destruí a vida dela.

— Isso é ruim!

— Nem diga! Não é fácil conviver só com um dos pais. Eles jogam toda a ansiedade em cima de você. Ela vive nervosa! E eu nem preciso fazer nada!

— Não está certo.

— Não há nada que se possa fazer.

— Onde está seu pai?

— Não sei. Minha mãe me teve quando tinha a minha idade, então...

— Você não o conhece?

— Não, e nem quero conhecer. Não tenho interesse em manter um relacionamento com alguém que não me ama e não quer ficar perto de mim.

— É duro isso. Meu pai pega no meu pé por causa da faculdade, mas é gente boa. — Tiro o CD do R.E.M. e ponho o do The Cure.

— Eu gostaria que a minha mãe reconhecesse o esforço que faço para me sair bem na escola. Mesmo que eu fosse melhor que a Laila, ela não perceberia.

O vento sopra por entre as árvores, balançando os galhos. Estamos em silêncio. Mas não aquele silêncio desconfortável de quando eu e Cynthia ficávamos procurando alguma coisa para dizer. É um silêncio pacífico. Sara e eu não precisamos falar para sabermos que está tudo bem. Apenas está.

Paro em frente à casa dela. Será que ela vai me convidar para entrar? E se convidar, o que eu faço?

— Bom... — eu gostaria de lhe dizer tudo de uma vez.

— Obrigada pela carona — ela agradece.

— De nada.

— Então... — ela se volta para mim.

O meu pensamento desintegra. Instintivamente, começo a me inclinar na direção dela.

— Obrigada — ela repete.

— De nada.

Inclino-me um pouco mais.

Capítulo 27

Amor verdadeiro

7 de novembro, 16h46

Sei o que significa Aquele Olhar. Vem acompanhado de um sentimento poderoso. Já sei que será difícil me concentrar nos deveres de casa esta noite. Ou mesmo no resto do ano. Estou aqui no carro de Tobey e quase não consigo me controlar.

Tento me lembrar de como é respirar.

Tento me lembrar de que já tenho um namorado.

Preciso sair deste carro.

Nossos olhos se encontram. Quero memorizar cada detalhe do rosto dele. Nunca mais vou me esquecer do que estou sentindo neste momento.

Tobey está muito perto de mim. A energia que nos envolve é muito forte. Eu poderia beijá-lo agora. Meu corpo anseia por isso desesperadamente.

Mas não está certo. Ainda não é hora.

— É melhor eu ir — digo.

Ele se senta direito no banco do motorista.

Não foi fácil abrir a porta do carro.

Dou a volta e paro em frente à janela dele. Tudo gira ao meu redor. Pela primeira vez na vida não sinto frio em novembro. Na verdade, sinto até calor.

Olho para Tobey. Ele está me encarando. Encosto a mão no vidro fechado. Ele encosta a mão do outro lado, exatamente sobre a minha. Ficamos assim por um tempo. Com as mãos encostadas, separadas apenas pelo vidro.

Ainda bem que amanhã é sábado, porque eu seria um verdadeiro zumbi se tivesse que ir à escola. Acho que peguei no sono lá pelas quatro e meia da madrugada. Só pensando em Tobey. E no que vou dizer a Dave. Não que Dave não esteja disposto a ouvir. Eu é que estou fugindo e procurando evitá-lo. Eu disse a ele que precisava de um tempo no fim de semana para ficar um pouco sozinha.

O lado ruim do sábado é esperar que Tobey me ligue. Esperei a manhã inteira. Olho para o relógio. Meio-dia e meia. Por que ele não liga? Talvez tenha dormido até mais tarde. Como não tenho o serviço de chamada em espera, não ligo para ninguém, para não ocupar o telefone. Falei com Laila e Maggie ontem à noite e elas já sabem de tudo. Maggie deu a maior força para eu ir em frente. Laila achou que eu não devia ter aceitado a carona de Tobey antes de terminar com Dave. Isso contradiz o que ela disse antes, mas tanto faz. Eu sei que tenho que terminar com Dave.

Decido começar uma nova página no meu caderno sobre o que aconteceu ontem e outra sobre o que vou dizer a Dave. Isso me ocupará por algumas horas. Então será de tarde, e Tobey vai me ligar. E se ele achar que eu o dispensei porque não o beijei? Ele não sabe que gosto muito dele? Ele sabe que eu queria beijá-lo, mas não podia, porque ainda sou namorada de Dave. Mesmo que a esta altura o namoro seja apenas uma formalidade.

Depois de passar uma hora olhando para a página em branco do caderno, fica evidente que não vou conseguir colocar no papel tudo o que senti ontem. Decido trabalhar no projeto da casa dos meus sonhos; será mais produtivo. Pego o lápis e começo a desenhar o quarto principal.

Olho novamente para o relógio. Uma e quarenta e seis. *Afinal, ele está ou não está pensando em mim?*

Desenho a porta do closet e a passagem para o banheiro. É um banheiro grande, com áreas separadas para a pia e a banheira. As torneiras pós-modernas sobre uma cuba cromada jorram água como uma minicachoeira.

Duas e dezessete. Por que esse cara não liga?

Jogo o lápis sobre a mesa. Vou para a sala, me esparramo no sofá e ligo a televisão. Setenta e três canais e nada para ver. Não me sinto melhor nem com uma reprise de *Dawson's Creek*.

Três e cinco.

Pego uma maçã e começo a comer. Mas não consigo; estou nervosa demais. Jogo metade no lixo.

Três e onze.

Vou tirar uma soneca. Por que os garotos não vêm com um manual do usuário?

Deito na cama e cubro a cabeça com o travesseiro. Fecho os olhos. Só vejo Tobey na minha frente. Mesmo de olhos fechados. O que me lembra que ele ainda não ligou.

Acordo às cinco e quarenta e oito. Vou enlouquecer se esse telefone não tocar já.

Toca toca toca toca já.

O telefone não toca. Será que ele ainda se lembra de mim?

É inútil tentar estudar. Volto a procurar alguma coisa para ver na tevê.

Finalmente, o telefone toca.

Procuro me controlar para não parecer ansiosa.

— Alô?

— Oi — diz Tobey.

Uma imensa onda de alívio arrebenta sobre mim.

— Oi, é você.

— Desculpa não ter ligado antes. Meu pai e eu estávamos reunindo os papéis para a inscrição na faculdade até agora.

— Ah... tudo bem. Ainda é cedo. Olho no relógio. — São nove e vinte e cinco.

Este foi o dia mais longo da minha vida.

— Quero que você saiba que o dia de ontem me fez muito bem — ele diz.

Eu juro, esse cara é perfeito.

— A mim também.

— É mesmo?

— É.

— Legal. E o que você fez hoje?

— Nada demais. Fiz algumas coisas... Estudei um pouco...

— Legal.

— É.

— Então... Eu queria saber se... Se você está pensando em... em contar ao Dave sobre... Hum...

— Estou.

— É mesmo?

— É.

— Legal.

Eu acabo de prometer a Tobey que vou romper com Dave.

E então, no salão de bilhar, na tarde seguinte, eu digo:

— Preciso conversar.

Maggie bate o taco na bola 8. Ela cai na caçamba.

— Sobre o quê? — Laila pergunta. — Não, espere. Deixe eu adivinhar: é sobre o Tobey?

— É.

— Achei que você já tivesse decidido...

— Posso contar o que aconteceu?

— Aconteceu alguma coisa? — Maggie pergunta. — Aconteceu? *Aconteceu?*

Primeiro, preciso parar de sorrir.

— Aconteceu — respondo, olhando para a bola laranja.

As duas se aproximam de mim, do outro lado da mesa.

— O Tobey me ligou ontem à noite. E eu prometi terminar com o Dave.

Maggie arregala os olhos.

— Quando pretende fazer isso? — Laila pergunta.

— Vou tentar levá-lo ao shopping amanhã depois da aula. E lá eu falo com ele.

— Ótimo — diz Laila. — Melhor que seja num lugar público. Assim, se ele começar a gritar, pensarão que ele é doido.

— Eu acho que ele não ficará surpreso — digo. — Já faz tempo que as coisas entre nós não andam bem.

Maggie concorda.

— Um caso de falso amor. É clássico. Já vivi muito isso.

— Hã? — pergunto.

— Falso amor. O oposto de amor verdadeiro.

— Defina, por favor — Laila abaixa o taco de bilhar.

— Falso amor é o seu caso com o Dave — Maggie explica. — Você queria tanto se apaixonar por ele que se convenceu de que o amava. Mas ele não é o que você pensou que fosse; você queria um namorado que ele não pode ser. E o tempo todo você pensou: "Quero tudo a que tenho direito. Eu sei que ele está por perto". E, então, o Tobey aparece e tudo acontece. E agora você sabe que é ele que deseja. — Maggie bate com o taco na mesa. — Isso é amor verdadeiro.

— O que acontece comigo e com o Tobey é... A gente tem uma ligação muito forte.

— Também acho — Laila concorda.

— Ele me faz muito bem — digo.

Laila sorri.

— Legal. Mas essa coisa de amor verdadeiro é ridícula.

— Não é não — Maggie retruca. — Fico feliz por você! O que você queria está acontecendo. — Ela me abraça e, sem mais nem menos, começa a chorar. — Desculpem... *Eu estou péssima!*

Laila olha espantada.

— O que foi? — pergunto.

— Descobri uma coisa ontem à noite. — Ela chora de soluçar.

Fico paralisada, imaginando o que poderia ser. Laila procura um lenço de papel na bolsa.

— Meu pai.

— O que aconteceu? — Laila pergunta.

— Ele está bem? — pergunto.

— Ele está ótimo. — Maggie assoa o nariz. — Ele e *toda a família dele* em Nova York.

— *O quê?*

— Meu pai tem outra família em Nova York. Descobri isso ontem à noite. Ele chegou de viagem, e, como sempre, ele e minha mãe começaram a brigar. Ela sempre soube, mas nunca me disse nada.

— Que merda! — Laila desabafa.

— Eles se fecharam no quarto, mas eu ouvi tudo. A minha mãe estava histérica e o meu pai tentava acalmá-la. Depois ele saiu com uma mala. E nem se despediu de mim.

— Que coisa horrível! — comentei.

— Vejam só! Quando ele viajava para Nova York à noite, o que acontecia sempre, ele ia para a casa da outra mulher e seus dois filhos, que nem sabem que eu existo. — Maggie cai em prantos.

— Sinto muito, Maggie. — Eu a abraço para que ela se acalme.

Por fim, Maggie diz: — Vamos embora daqui.

Vejo que o único relacionamento em que eu acreditava — o dos pais da minha amiga Maggie — era uma miragem. Assim como o que eu tive com Dave. Espero que isso jamais aconteça comigo e com Tobey.

Capítulo 28

Outra direção

10 de novembro, 10h10

Enquanto o sr. Perry parece delirar falando em derivativos, estou checando meu novo horário. Foi a sra. Everman quem fez esse planejamento para mim, quando me viu enlouquecer em meio aos formulários de inscrição, aos trabalhos atrasados e à composição da minha peça para a audição. Ela disse que a organização é o segredo do sucesso. Então estou me organizando. Pelo menos tentando.

— Sr. Beller! — o sr. Perry fala alto. — Por que o seu livro ainda não está aberto?

Como agora estou precisando de muitas notas A, tenho que ser mais delicado.

— Desculpe, não acontecerá de novo.

A expressão do sr. Perry se alterna entre esperar uma resposta mal-educada e um grande alívio.

— Ah... bom. — Ele olha para mim como se nunca tivesse me visto. — Melhor assim.

Abro o livro e logo encontro a página. Ouço o barulho típico de um livro que está sendo aberto pela primeira vez.

Uma coisa que sei fazer muito bem é parecer maravilhado com a aula de um professor enquanto penso em mil outras coisas. O mesmo deve acontecer com a maioria dos alunos. Olho rapidamente pela sala. Pode-se dizer que neste exato momento a metade dela está pensando em sexo. Eu também estou.

Sara vai terminar com Dave depois da aula. Depois ligará para Maggie ir buscá-la. A Batalha das Bandas já é na semana que vem, e ainda estamos discutindo sobre o maldito solo de bateria que Josh quer acrescentar. Pelo menos Dave finalmente sairá de cena hoje à tarde.

E Sara será só minha.

Dormi muito mal esta noite. Sinto-me plugado como se tivesse bebido trinta xícaras de café acompanhadas de dez Red Bulls.

A aula não termina nunca. É uma pena que Einstein esteja morto. Tenho certeza de que ele gostaria muito da minha última descoberta sobre o contínuo tempo-espaço. Quanto mais próximo você estiver de experimentar um evento monumental, mais tempo ele demora para acontecer. Isso é tão solitário.

Continuo me sentindo sozinho no ensaio. Josh quer nos convencer de que deveria haver um solo de bateria semi-improvisado no final da canção que vamos apresentar, que é uma do Bad Company. Não foi difícil chegarmos a um acordo em relação à música. Ela tem um improviso perto do final que permite tomar várias direções diferentes. Mas Josh quer que seja uma só.

— A gente vai acabar perdendo o controle — Mike está tentando poupar Josh da humilhação pública.

— É exatamente essa a questão! Não é o que queremos? — Josh levanta do seu banco atrás da bateria. — Caos! Descontrole geral! — Ele balança as baquetas no ar. — Enlouquecer a galera!

— Cara... — Mike esfrega as mãos no rosto. — Se o som sair do controle, ninguém vai entender nada. Primeiro temos que ganhar a plateia e depois, aos poucos, fazer um som mais pesado. Não dá pra estourar assim logo de cara.

— Também acho — concordo.

A música tem aquela bateria forte durante o refrão e depois o clímax no final. Josh quer ir logo para o clímax e ficar por lá. Como os concertos do Metallica. Mas isso é muito arriscado em uma apresentação na escola, que estamos tentando vencer. Por um instante me arrependo de ter derrubado a ideia de tocar *Heaven* ou *D'yer Mak'er*. Mas *Heaven* é uma música antiga do Bryan Adams que, além de fácil, é muito conhecida. E o vocal de Mike em *D'yer Mak'er* é um horror. Sem dizer que não gostamos tanto assim do Led Zeppelin.

— O som já é forte como é — eu digo. — Se a gente exagerar, vai acabar estourando.

— Ele tem razão — diz Mike. — Vamos passar uma vez assim como é, depois a gente vê o que faz.

Josh não gosta da ideia, mas aceita.

— Tudo bem. — Ele volta para a bateria, inconformado.

O som sai perfeito. Como é pra ser. É a milionésima vez que ensaiamos. Faço os vocais de fundo com Mike. As harmonias estão excelentes. E Josh arrasa nos tambores. Estamos prontos para a apresentação. Enquanto tocamos, imagino todos nos aplaudindo. A maioria dos alunos da escola nunca nos ouviu tocar. Mais importante que vencer é causar boa impressão. Não sei por que isso está me importando. Em geral, não ligo para o que os outros pensam. Mas, por alguma razão, agora me importo.

Quando paro na frente de casa à noite, noto um carro estacionado do outro lado da rua. Muito estranho, porque lá não mora ninguém.

Só tem árvores. Por um instante, penso em investigar, mas ainda quero anotar alguns versos em que pensei no caminho.

A ansiedade de saber o que aconteceu com Sara e Dave está me matando. Ligo para ela? Ou espero que ela ligue? Ridículo! Vou ligar.

Mas não tive chance. Quando estou atravessando o jardim da minha casa, alguém surge de trás de uma árvore. E corre na minha direção.

Capítulo 29

Enfim, encontro você

10 de novembro, 17h53

O shopping não é um lugar agradável. Tem uma péssima iluminação e cadeiras desconfortáveis. Tudo é muito ruim. Assim como a conversa que vamos ter.

Eu pretendia levar Dave para a praça de alimentação e conversar com ele lá. Mas não dá mais para esperar.

— Dave?

— Humm? — Ele se distrai olhando a vitrine da Victoria's Secret. Como sempre, qualquer coisa que lembre sexo é mais interessante do que eu, a virgem frígida.

— Temos que conversar.

Dave troca a mochila de ombro.

— Sobre o quê? — ele pergunta.

Paro no pé da escada rolante.

— Sobre nós.

Provavelmente está escrito na minha cara que não será uma conversa agradável.

— O que está acontecendo com você ultimamente?

— É sobre isso que eu quero falar. — Me ocorre que tudo o que planejei dizer, embora me parecesse uma boa ideia, não serve para nada neste momento. — Olha... — começo, tentando não magoá-lo. Mas como fazer isso? — Não é uma boa ideia a gente continuar saindo.

— *Você* está terminando *comigo?* — Dave ri. — Que ótimo!

— O que você quer dizer com isso?

— Que Caitlin estava certa.

Pela primeira vez não estou ligando para o que os amigos dele digam ou pensem. Ou para o que ele pense. Prefiro ignorar.

Esperei por este confronto com grande expectativa. Tinha certeza de que Dave me perguntaria por que quero terminar com ele. Mas ele não pergunta nada e sai andando na frente. Tudo acaba como se nunca tivesse sequer começado.

É assim que a gente termina um namoro sem magoar ninguém. É bem mais fácil quando o outro não está se importando.

Quando Maggie me pega na porta do shopping, a primeira coisa que digo é:

— Vai em frente.

— Para onde?

— Me leva na casa do Tobey.

— Onde é?

— Vire à esquerda. Eu indico o caminho.

— Mas o que foi que aconteceu?

— Terminei.

Maggie olha para mim.

— Foi ruim?

— Foi esquisito. E decepcionante. Ele nem se importou. Tenho certeza de que Dave já deve estar de olho em alguma novata que esteja louca pra perder a virgindade.

— Que cretino.

— Ele ficou todo abalado porque fui eu quem quis terminar com ele. Como se já estivesse pensando em me dispensar por eu não querer dormir com ele.

— Ele é muito convencido.

— Também acho.

Estou me sentindo livre. Todas aquelas possibilidades estão se tornando realidade. Exatamente como eu imaginava.

— Bom — diz Maggie —, você é oficialmente a pessoa mais bem resolvida que eu conheço.

— Mais do que você? Você é a primeira a rejeitar os filhinhos de papai.

— É, mas você ganha.

— Urru! — Desço o vidro do carro. De repente, cai a ficha do que acabei de fazer. — *Yessss* — grito pela janela aberta. — Estou livre!

— Sim, meu bem, você está livre, mas poderia, por favor, fechar esse vidro? Está gelado aqui dentro.

Subo o vidro. Tenho aquela sensação deliciosa de quando a vida está acontecendo exatamente como você quer, e por isso você tem vontade de fazer perguntas sobre a vida da outra pessoa.

— E você? — então pergunto. — Como vai com o Rick?

Rick é o cara com quem Maggie está saindo. Eles se conheceram na Tower, quando ambos pegaram ao mesmo tempo o único CD acústico que restava do 10.000 Maniacs. Rick deixou que ela ficasse com o CD. E ela aceitou o convite para tomar um lanche com ele. Rick faz faculdade em Rutgers, mas ainda mora aqui, na casa dos pais.

— Não tão bem quanto eu gostaria — diz Maggie. — Ele só me liga algumas vezes na semana. Detesto caras que fazem esse jogo.

— Mas você pode ligar pra ele. — Aponto para ela entrar à direita.

— Não. Quero saber até que ponto ele está a fim de mim. Se eu ligar, não vou saber.

— Talvez ele queira ligar, mas não queira dar muita bandeira.

— Também pensei nisso. Mas é bobagem. Quando estamos sozinhos, tenho certeza de que ele está a fim de mim. Mas depois... Ele não liga. Se estivesse mesmo a fim, ligaria mais vezes.

— Se é o que você sente, ele está a fim de você.

— Eu sinto. Mas não sei se é de verdade ou se ele está brincando comigo. Sabe como é?

— Sei! — Maggie, Laila e eu já perdemos muito tempo conversando sobre as mensagens dúbias dos muitos namorados de Maggie. Garotos que ela nem conhece. Mas não acho que seja perda de tempo. Se não passássemos tanto tempo conversando sobre o que queremos, como iríamos saber quando acontece?

Maggie diminui a velocidade na rua de Tobey. De um lado há árvores; do outro, casas. Ela para na frente de uma casa e desliga o motor.

— Não se importa mesmo de esperar?

— Claro que não — diz Maggie. — Alguma coisa há de acontecer para me distrair.

Estou esperando Tobey escondida atrás de uma árvore grande e nem percebo que estou congelando. Quando ele chega, eu me abaixo. Ouço a porta do carro bater. Tobey atravessa o gramado. Ouço as chaves do carro tilintando no chaveiro.

Quando ele passa por mim, saio de trás da árvore e o abraço pelas costas.

Tobey leva um susto e se vira.

— Desculpe — digo. — Posso ir com você até a porta?

Ele sorri no escuro. A luz da rua reflete em seus olhos.

— Claro!

Pego na mão dele. Seguimos para a varanda e subimos os degraus. De alguma maneira sei que não ficarei sozinha na varanda, esperando pelo beijo que tanto espero.

Olho para Tobey, cheia de expectativa.

— Você está bem? — ele pergunta.

— Estou.

— Como foi?

— Bem. Foi tudo bem.

— Mesmo?

— Mesmo.

Tobey sorri. Eu também.

Ele acaricia meu rosto. E se inclina na minha direção. E então acontece. *AimeuDeus, ele está mesmo me beijando, me beijando, me beijando de verdade.*

Eu relaxo. É como se finalmente reencontrasse a outra parte de mim mesma.

Capítulo 30

A única pessoa

21 de novembro, 19h

Tento me esquecer de tudo o que já conheço sobre as outras bandas que vão tocar esta noite. A MindFlame é a melhor. Vamos arrasar na Batalha das Bandas. E daí se Zack tem uma guitarra melhor que a minha? Ou se o jeans de Fred é mais maneiro que o de Mike? Fazemos o melhor som, e é isso que interessa.

O ginásio foi transformado em outro espaço, muito mais legal. Mais escuro, com refletores projetando desenhos nas paredes. O palco portátil que a escola usa para tudo que não acontece no auditório está montado na parede dos fundos. As arquibancadas foram afastadas, e mesas de salgadinhos foram dispostas perto da entrada. Quando as bandas começarem a tocar, as pessoas vão se aproximar do palco.

Eddie vem correndo na minha direção com um papel na mão.

— Você viu isso? — Eddie é o MC da noite. Ele faz um rap underground que não é ruim.

— Eu já vi esse folheto — digo.

— Não, cara. Este foi revisado. Dá uma olhada em quem é o último a se apresentar.

Marco é o último nome da lista.

— Como foi que ele conseguiu ser selecionado?

— Sei lá — diz Eddie. — Tô indo.

Marco é um rapper Nas-wannabe que diz que seu vocabulário é da pesada. Nunca ninguém contou a ele que o uso excessivo do dicionário pode não ser uma coisa boa. As outras bandas são de gêneros mais variados: Fred e Zack são da Jade Elephant e tocam indie house punk; tem ainda a banda de Julian, chamada Zeitgeist, formada por malucos pelo Coldplay; outra banda alternativa; um grupo techno; uma banda acústica; outra de heavy metal; nós; e Marco. E tem a Overlord, do tal de George, que toca nada menos que cinco instrumentos. Em geral eles selecionam dez bandas, mas a décima teve que desistir porque o cantor pegou uma DST. A MindFlame será a quarta a se apresentar.

Mike termina de afinar o baixo. E pretende convencer sua última conquista de que a noite dela não estará completa se eles não dançarem juntos. Antes da apresentação das bandas haverá uma hora de música para dançar. Hoje é rock. Primeiro vou dançar com Sara, depois enlouquecer a galera e, por fim, vencer, porque vamos ser mais aplaudidos que as outras bandas.

Josh chega quando estamos checando o som.

— Tudo bem?

— O de sempre. Fred e Zack estão achando que vão ganhar de nós.

Eles estão sentados do outro lado do palco. Os dois têm aquele olhar parado de quem está morrendo de tédio. Como se estivessem fazendo um grande favor por estar aqui. Só porque eles andaram tocando numa casa noturna para menores de 21, em Stirling, não significa que sejam melhores que nós. Eu soube que o dono do lugar é tio ou coisa parecida de Zack.

— Tanto faz — diz Josh. — Vai ficar ainda mais divertido vê-los destruídos depois que a gente sapatear em cima deles.

Nós pegamos um lugar ao lado do palco. A música está tocando. Algumas pessoas começam a dançar, mas a maioria continua sentada nas arquibancadas. Ainda tem gente chegando. Sinto um certo nervosismo no ar. E aquela expectativa que sempre tenho quando uma menina de quem eu gosto vai me assistir. Agora tenho uma menina com quem realmente quero estar.

— E aí?

Saio do transe e dou de cara com Marco.

— Tudo bem — digo.

— Que é que tá rolando, mano? — Marco resmunga e bate a mão fechada na minha mão e na de Josh. Ele usa tanta gíria que às vezes é difícil entender o que diz.

— Como que o Eddie me lesa daquele jeito, mano? — O medalhão de Marco bate contra o peito. Ele usa um jeans tão baixo e tão largo que não sei como não cai.

— Lesa como?

— Tá falando pra todo mundo que eu sou um rapper bunda-mole. Isso é fria, mano. — Marco olha em volta, como se quisesse socar Eddie.

— Oou, calma aí — Josh aconselha.

— Nem, tô pê.

— Cara — digo —, ele tá é com inveja do teu talento.

Marco pensa um pouco.

— É mesmo?

— Tenho certeza.

Marco dá uma risada afetada.

— Paz, mano. — E sai andando.

Vejo Sara entrando e parece que não sei mais agir como um ser humano normal.

Josh vê para onde estou olhando.

— Ela é linda, não é? É uma gata. Vou dançar com ela.

Não que eu seja dono de Sara, mas o que isso significa?

— Não é uma boa ideia.

— Acha que ela não vai dançar comigo?

— Ela é comprometida, ok?

— Desde quando? — Josh parece não entender nada.

— Desde que está comigo.

Josh olha para as meninas.

— Cara! Eu tô falando da Maggie, não da Sara! Não confia em mim? Eu nunca ia azarar a sua garota.

Minha cabeça volta para o lugar.

— Tá. Eu sei.

— Acha que ela topa dançar comigo?

Fico tão feliz que ele esteja falando de Maggie que digo:

— Claro! Que garota vai se negar a dançar com você?

— Também acho. Vou pegar uma bebida. Quer?

— Não, obrigado.

Então vejo Mike desviando das pessoas e se aproximando. Ele me encontra.

— Oi! Por que você tá aqui e ela, lá?

— Só tô olhando.

— Nossa, que coisa estranha. Deixa que eu fico só olhando e você vai lá dançar com ela.

Josh volta do bar.

— Vamos? — pergunto a ele.

— Aonde?

— Você não ia dançar com a Maggie?

— Vou, mas posso fazer isso sozinho, papai!

— Quero dançar com a Sara, então já vou indo.

No caminho, Josh pergunta:

— Como está o meu cabelo?

— Péssimo. Vou ter pesadelos a semana toda.

— Fala sério.

— Tá tudo bem, você tá ótimo.

Sara vê que estou me aproximando. Ela diz alguma coisa para Maggie. Maggie olha. Não parece muito feliz em me ver. O que será que aconteceu?

— Oi — digo.

— Oi — Sara responde.

— Oi, Maggie — cumprimento.

Maggie dá um passo para trás.

— Oi.

Sara me abraça.

— E aí, pessoal? A música tá boa, né? — Josh bate nas minhas costas, cumprimentando a mim e a Sara. — O que tá havendo?

— Agora, nada. Vocês conhecem o Josh? — pergunto às meninas.

Maggie faz cara de quem bebeu leite azedo.

— Infelizmente. — Ela deixa claro que a última pessoa que quer ver é Josh. Mas comigo aconteceu a mesma coisa.

Olho em volta e vejo que tem mais gente dançando.

— Quer dançar? — pergunto a Sara.

— Quero.

Andamos um pouco entre os pares. Ela põe os braços ao redor do meu pescoço. Eu encosto o queixo na cabeça dela. Sinto aquele perfume de flores tão conhecido.

Continuamos dançando assim algumas outras músicas, embora sejam bem mais rápidas. Então, ouço Eddie soprar no microfone.

— Testando... testando... Vamos lá. As primeiras quatro bandas venham para trás do palco.

Sara me dá um abraço.

— Boa sorte! — ela fala no meu ouvido.

— Obrigado.

Fred e Zack são os primeiros. Eles são aplaudidos no terceiro acorde. Começo a me sentir intimidado e nervoso. Mike está do meu lado, observando a reação do público.

— Não comece a suar — ele diz. — Somos muito melhores que esses otários.

As duas bandas seguintes não são lá essas coisas. Começo a acreditar que temos uma grande chance de vencer.

Então Eddie nos anuncia.

— E, com vocês, MindFlame! — ele grita. As pessoas aplaudem muito.

Meu coração dá um salto.

Quando Josh junta as baquetas para marcar o ritmo, localizo Sara no meio da plateia. Ela está olhando fixamente para mim. Linda!

A música começa bem. Mike e eu estamos totalmente afinados nos vocais. Josh toca seus tambores como um profissional. Busco a reação da plateia. A maioria das pessoas parece em transe, mas não de um jeito bom. É como se estivessem assistindo a um comercial de TV. Tenho a sensação ruim de que ninguém gosta do que estamos fazendo. Mas com certeza é pura paranoia. Até aqui, tudo está perfeito.

Olho outra vez para Sara. Ela está olhando para mim e marcando o ritmo com o corpo. Isso me dá coragem para ir até o fim do diálogo bateria-guitarra. Ponho no meu solo tudo o que estou sentindo. Josh parece enlouquecer nos tambores. Nunca o ouvi tocar com tanta intensidade. Respondo com mais intensidade ainda. Isso é tão bom quanto fazer sexo.

Tudo segue num *crescendo*. Dá para ver o suor escorrendo no rosto de Josh. O baixo de Mike faz o palco tremer. No momento certo, dou o acorde final.

O som reverbera por todo o ginásio. Posso ouvi-lo se estatelando no chão. E depois desaparecendo.

Ninguém se mexe. Ninguém aplaude. Ninguém faz nada.

Silêncio absoluto.

O que fazemos agora? Ficamos aqui parados como três idiotas? Ou caímos fora deste palco o mais rápido possível?

Voto na última.

Então, alguém começa a aplaudir timidamente. Outros se juntam. E logo os aplausos acontecem. Mas parecem um pouco forçados.

Guardamos os instrumentos sem abrir a boca. Atrás do palco, Josh pega uma toalha, enxuga o rosto e a joga no chão.

— Não gostaram! — Josh chuta a toalha. — E eu dei o meu sangue naquele palco.

— Eu disse pra gente fazer *Heaven* — diz Mike.

— Mas é tão conhecida! — digo. — Qualquer um consegue tocar.

— Por isso mesmo. Pelo menos teríamos alguma chance tocando uma coisa que todo mundo conhece.

— Nada é melhor que o Bad Company — diz Josh. — O problema é que a *galera de hoje* não sabe o que é bom...

— A gente arrasou — digo. — Foi tudo perfeito. Vocês viram aquele solo?

Josh balança a cabeça, sem tirar os olhos da toalha caída no chão.

— Nã... — Mike enxuga a testa. — Era a nossa chance de mostrar quem somos. E nós nos ferramos de cima a baixo.

Josh ergue a cabeça.

— Não nos ferramos, não.

— Tanto faz.

— Lembram quando saiu o *Wild Mood Swings*, o álbum do The Cure? — pergunto. — Lembram das críticas que recebeu? Mas o The Cure continua sendo o The Cure. A gente não pode deixar que esse bando de ignorantes decida quem a gente é.

Mike não está convencido.

— Como se a gente fosse o The Cure.

Ficamos atrás do palco ouvindo as outras bandas. A Zeitgeist é boa, mas alguém precisa contar pro Julian que copiar o Coldplay não vai levar a banda a lugar nenhum. Marco é um horror. Suas letras não fazem nenhum sentido e seu gingado me dá tontura. Talvez a gente consiga pegar um terceiro lugar.

— Tudo bem, pessoal, hora de votar! — Eddie anuncia.

A plateia é que escolhe. As duas bandas mais aplaudidas disputam o título.

— Jade Elephant! — Eddie grita.

O público vai ao delírio. Vejo Fred e Zack baterem as mãos no alto.

Eddie anuncia as outras bandas por ordem de apresentação. Não sei se continuo paranoico, mas não ouvi ninguém nos aplaudir.

Então Eddie vai se consultar com alguns garotos da primeira fila. E anuncia os resultados.

Somos os últimos. Atrás até de Marco.

— Bom — digo para Sara —, nós nos ferramos.

— Não se ferraram, não.

Estamos sentados em uma mureta, na frente da porta do ginásio.

— Vocês foram ótimos. — Ela segura a minha mão em seu colo.

— Fomos?

— Foram.

— Então por que ninguém nos aplaudiu?

— É que... a turma ficou chocada com o talento de vocês. Nunca imaginaram ouvir o que ouviram. Eu diria que tiveram uma... reação atrasada.

Sara estaria falando sério? Esperei ela começar a rir a qualquer momento. Mas ela não estava brincando.

— Obrigado.

— De nada.

— Sara! — Maggie chama do estacionamento. — Vamos embora?

— Ah. Tenho que ir.

— Você continua dormindo na casa da Maggie?

— Continuo.

— Tudo bem. — Seguro o rosto dela em minhas mãos e a beijo.

Ela suspira. Desce da mureta onde estamos sentados e sai andando como se o beijo a tivesse deixado zonza. Dou risada. Ela é a única pessoa capaz de me fazer sentir bem neste momento.

Mike já levou Josh e o equipamento para casa. Eu continuo ali por algum tempo. Onde será que estarei no ano que vem, neste exato momento? E se a banda terminar? E se a gente se separar? Isso parece inevitável. Talvez Mike e eu sigamos juntos para Nova York, mas pode ser que Josh fique por aqui mesmo. E aí?

Caminho pelo estacionamento. Penso em Sara. No jeito como ela olhou pra mim, mesmo depois do nosso fracasso... sinto que posso fazer qualquer coisa quando estou ao lado dela.

Enfim, tenho uma namorada. Se isso não é prova de que tudo pode acontecer, então não sei o que é.

Capítulo 31

Pequenas coisas

21 de novembro, 19h

É CLARO QUE Laila não teve permissão para ir à Batalha das Bandas. O pai dela é completamente transtornado. Pelo menos ela vai dormir com a gente na casa de Maggie.

Já faz uma hora que Maggie começou a se aprontar. Entro outra vez no banheiro.

— Ainda não está pronta?

Sua maquiagem está espalhada pela bancada, e ela está passando a quinta camada de base.

— Hummm... Mais dois segundos.

Volto para o meu quarto e guardo o material de desenho. Espero que ela esteja falando a verdade desta vez.

Quando Maggie finalmente termina, pego meu casaco, a chave e espio dentro do quarto da minha mãe. Ela está assistindo tevê.

— Tchau — digo.

— Tchau! Divirtam-se — diz minha mãe. Nos últimos dias ela tem estado num bom humor que não é comum. Ouvi quando disse à minha avó, ao telefone, que finalmente chegara a hora de eu ir para a faculdade. Se ela tivesse reparado que eu estava ali, talvez não tivesse dito "finalmente".

Mas agora não quero pensar nisso. Logo estarei com Tobey. É dele que vou receber todo o carinho de que preciso.

Chegando ao ginásio, notamos que as janelas foram cobertas com plástico preto e não conseguimos ver como está do lado de dentro. Maggie e eu estamos rindo sem nenhuma razão aparente.

O ginásio tem canhões de luz, de todas as cores, girando pelas paredes. A luz negra se acende no momento em que estamos entrando, e o meu suéter branco ganha um estranho tom azulado. Está cheio de gente. O Evanescence canta *Going Under* nos alto-falantes.

— O que é que a Caitlin está usando? — Maggie pergunta. — Não olhe!

Eu olho.

— Eu disse para não olhar!

Finjo olhar para outra pessoa e vejo que Caitlin está usando vestido. Ninguém usa vestido nestas ocasiões. O vestido tem um ombro só, cruza diagonalmente no peito e passa por baixo do outro braço.

— Será que ela sabe que não estamos em uma boate? — pergunto.

— Em que ano estamos? — Maggie continua. — 1978?

Eu me pergunto como irão reagir à banda de Tobey. Assisti a alguns dos ensaios e já ouvi a música que eles vão tocar. Josh me explicou a história da música e qual foi a banda que gravou; desconfio que ninguém conheça. E daí? Os meninos são muito bons, e isso é o que importa.

No ginásio, os garotos estão reunidos de um lado e as meninas, do outro. Vamos para o lado delas. Procuro por Tobey. Ele está conversando com Josh ao lado do palco. Basta vê-lo para sentir aquele frio no estômago.

— Ah, não! — diz Maggie.

— O quê?

— O seu Algo Verdadeiro e o Sr. Maturidade estão vindo para cá.

— Seja delicada com o Josh, por favor.

— Vou me esforçar, mas, se ele ficar olhando para os meus peitos, não garanto nada.

— Oi — diz Tobey.

— Oi — digo.

— Oi, Maggie.

— Oi.

— Vocês conhecem o Josh?

— Infelizmente — Maggie cochicha atrás de mim. Eu belisco a cintura dela.

— Oi, Maggie. — Josh não disfarça o seu encantamento por ela.

— Oi.

Ninguém diz mais nada.

Começa a tocar *Harder to Breathe,* mas em outra versão que não a do Maroon 5. Parece que é uma versão acústica. Adoro quando a música não incomoda.

— Quer dançar? — Tobey me estende a mão. Eu adoro esses pequenos gestos de delicadeza. E esse é imenso.

Dou a mão para Tobey, e ele me leva até o centro da quadra, onde os pares estão dançando. Ele me abraça; sinto-me segura. Encosto a cabeça no ombro dele e me deixo levar.

Girando lentamente, vejo uns pobres-coitados parados em volta da quadra, sem ter com quem dançar. Acho que estão me invejando. Quantas vezes eu já senti a mesma coisa? Ainda bem que hoje estou do outro lado!

Tudo é perfeito até eu ver Dave dançando com uma caloura. Não sei como ela se chama, mas ouvi dizer que é uma dessas garotas fáceis. É a principal qualidade que ele procura.

Começa a tocar uma música mais rápida, mas eu e Tobey não nos separamos. Eu dançaria com ele a noite toda.

Uma voz ao microfone me traz de volta à realidade:

— Testando! Testando! — É Eddie ao microfone. — Vamos começar! As primeiras quatro bandas queiram vir para trás do palco!

Estou nervosa por Tobey. A MindFlame tem que vencer.

Dou um abraço apertado e um selinho nele.

— Boa sorte — sussurro.

— Obrigado. — Ele segue confiante para o palco. Eu me sinto a namorada de um astro do rock.

Maggie se aproxima.

— *AimeuDeus!* — Ela segura meu braço. — Chad está bebendo Kool-Aid de canudinho. Venha ver!

— Eu passo!

As pessoas se juntam em frente ao palco. Empurro Maggie mais para a frente. Quero que Tobey me veja.

Quando Fred e Zack começam a tocar, o baixo é tão forte que sinto cada nota em meus ossos. A plateia se move como se formássemos uma grande entidade. É uma explosão. Eu nunca quis vir à Batalha das Bandas. Mas estou adorando estar aqui.

A MindFlame está se preparando para entrar, e Dave está atrás de mim e de Maggie, falando alto com sua turma. Olho para ele, que não me vê.

— O que foi? — Maggie pergunta.

Aponto para Dave, que está cercado pelos amigos. Sinto que eles estão planejando alguma coisa.

— É um babaca — diz Maggie.

E ele vai se sentir mais babaca ainda quando a MindFlame vencer. Só espero que não atirem nada no palco.

— E, com vocês, MindFlame! — Eddie anuncia. Ouço os aplausos e fico aliviada.

Josh bate uma baqueta na outra. Tobey me vê sorrir. Ele também sorri. Eles começam bem. Tocam muito melhor do que no ensaio a que assisti esta semana. Adoro ver os músculos do braço de Tobey quando ele toca guitarra com aquela expressão séria, concentrada.

Perto do final da apresentação, Tobey e Josh fazem um solo incrível. Sinto-me privilegiada por conhecer a banda nos bastidores. Por saber que determinadas partes foram ensaiadas muitas vezes, que Mike e Tobey tiveram dificuldade para harmonizar os vocais. Tobey dizia que num determinado momento da música ficava tudo misturado, mas não aconteceu isso agora. Estou orgulhosa dele.

De repente, alguém começa a tossir muito alto. Parece estar engasgado. Outra tosse junta-se à primeira. De repente, muita gente começa a tossir, a ponto de atrapalhar o som. É uma coisa ensaiada.

Tenho certeza de que foi ideia do boçal do Dave. Dele e da turma dele.

As tosses recomeçam, e a plateia ri. É tipo aquela tosse que a gente costuma ouvir na classe quando alguém está caçoando de outra pessoa. Em geral, essa tosse esconde palavrões como "foda-se", "bicha", "bundão". É um disfarce para impedir que o professor ouça o que está sendo dito.

As tosses não param, e a plateia ri ainda mais. Agora já são muitas gargalhadas. Não se ouve nenhum *shhh!* de quem prefere ouvir a banda. Só se ouvem risadas. E as pessoas começando a conversar.

Que desastre!

Será que Tobey percebeu o que está acontecendo? Ou ele não está ouvindo ou não está se importando, pois continua tocando de olhos fechados, completamente concentrado na música. Todos os três.

A música termina e ninguém aplaude. Como se a plateia ainda estivesse esperando alguma coisa acontecer. Maggie e eu começamos a bater palmas. Outras pessoas juntam-se a nós, mas sem nenhum entusiasmo.

— Dave é infantil — Maggie diz. — Que bom que você se livrou dele.

— Também acho.

Ela aponta para o palco. Tobey está passando a alça da guitarra pela cabeça.

— Ele não podia ser mais gostoso!

— É mesmo.

Os rapazes saem do palco. Não sei se Tobey virá para cá ou não.

— Quer ir lá atrás? — Maggie pergunta.

— Quero.

Quando passamos pelas pessoas para chegar ao palco, ouço conversas sobre a banda.

— O que foi aquilo?

— Como tocam mal!

— Alguém conhece aquela música? Ou foram eles que inventaram?

— Provavelmente.

— Vão pegar o último lugar.

— Até o Marco é melhor que eles.

Eu esbarro com força na pessoa que disse isso.

— Esse Josh é um retardado.

— Fala sério! Ele tava tocando bateria ou tendo um ataque epilético?

— Os dois.

Viro-me para ver quem está falando e vejo Joe Zedepski e Robert Garten.

A situação é pior do que imaginei. Preciso convencer Tobey de que a culpa não foi deles.

— Eu sempre perco a melhor parte — diz Laila. Estamos na sala da casa de Maggie. Já vi terminais de aeroportos menores do que este lugar.

— Não se preocupe — Maggie está sentada ao lado dela no sofá. — Estou disposta a lhe fornecer todos os detalhes.

— Então eles ficaram em último lugar? Como é possível?

— Vou buscar alguma coisa pra gente beliscar — anuncio.

— Traga Sun Chips — diz Maggie.

— Tem Crunch'n Munch? — Laila pergunta.

— Tem.

— Traz esse também — Laila pede. — Tem café? Estou precisando desesperadamente de um. Bem forte.

— Mas daqui a pouco nós vamos dormir — lembro.

— Eu sei — Laila ergue os ombros. — Dependência é uma merda.

Vou para a imensa cozinha de Maggie. O café que Laila fez há pouco ainda está cheiroso. Abro os pacotes de salgadinhos e os esvazio dentro de tigelas. Gostaria de estar com Tobey neste momento para ajudá-lo a se sentir melhor. Encosto na pia e fico pensando nele.

Volto para a sala e ponho o filme que alugamos no aparelho de DVD. Pegamos *Gostosa loucura* porque é com o Jay Hernandez e era a vez de a Laila alugar. Jay é o queridinho dela. O que significa que da próxima vez vamos assistir a *Por um Sentido na Vida*, com o meu Jake.

Eu ligo a gigantesca tevê de tela plana. Está passando um episódio antigo de *Tudo em Família*.

— Aaaah! — exclamo. — Vamos assistir um pouco?

— Qual é a sua? — Laila pergunta.

— Eu tô feliz! — E me desmancho num ataque de riso.

— Sossega! — Maggie joga uma almofada em mim. — Ok. É sério. Vocês acham o Josh bonitinho?

Paro de rir imediatamente.

— Quê?

— Josh. Ele é bonitinho?

— Em que sistema solar? — Laila pergunta.

— De onde vem essa ideia? — completo a pergunta.

— Estava aqui pensando... Sabe, eu dancei com ele. Ele está bem mais bonitinho. Já não é mais aquele nerd de antes.

Faço duas grandes pilhas de almofadas na frente da tevê.

— O Josh nunca foi nerd.

— Você disse que ele era geek.

— Pode ser. Mas não nerd.

— Qual é a diferença?

— Eu já expliquei. O geek é um cara muito na dele. Um antissocial, que não sai com ninguém e com quem você jamais sairia. E o nerd é cabeça demais pra se misturar com a plebe. Assim como eu.

— Você não é nerd!

— Tudo bem. Eu sei que sou. Aceito como um elogio. Gosto quando dizem que sou nerd. — Enfio quatro Cheez Doodles de uma vez na boca. — Melhor do que ser "normal".

— Se é assim que você prefere... — Maggie lambe um resto de queijo cheddar dos dedos. — Como eu ia dizendo, ele está menos geek.

— Você acha ele bonito? — Laila pergunta.

— Acho. — E Maggie olha para mim.

Estou chocada.

— Ei, mas ele é muito imaturo!

— Para com isso! — Maggie grita. — Não estou querendo nada para mim! Não! Estava pensando em apresentá-lo para a Brenda!

— Desde quando você conhece a Brenda? — pergunto.

— Desde que fizemos um trabalho de história juntas. Ela é legal.

— Ah, bom — diz Laila. — Você é muita areia pro caminhãozinho do Josh!

— É... Também acho — diz Maggie. — E a Brenda?

Não consigo saber qual das informações me surpreende mais: se é Maggie achar Josh bonitinho ou achar legal uma punk como Brenda. Deve ser efeito da lua cheia.

— Você achou que eu estivesse interessada nele? — Maggie pergunta. — Ficou doida?

— Foi por isso que eu... fiz cara de nojo.

— Esse pessoal do ensino médio é muito imaturo para mim — ela anuncia. — Agora só saio com caras da faculdade. Garotos da minha idade não sabem o que fazer comigo!

— Você é muito quente. — Encosto o dedo no braço de Maggie e tiro rapidamente. — Ai! É quente mesmo! Sai pra lá!

— Eu saio, mas desde que você não se chame Rick.

— Ah, é! — digo. — Quais são os progressos até agora?

— Ah, são muitos. Ele é incrível. Sabe beijar como ninguém. Entre outras coisas.

— O quê?

— Hã?

— Que outras coisas?

— Todas. — Ela dá de ombros. — O que você imaginar.

— Você vai transar com ele? — Laila pergunta.

— Provavelmente.

— Mas vocês só estão saindo há...

— Grande coisa! Eu já tenho dezoito anos.

— E desde quando fazer sexo não é grande coisa?

— Não sou mais uma virgenzinha. Você não tem vontade de dormir com o Tobey?

— Pode ser.

— Então você não está pronta. Vai saber quando estiver.

Laila decreta:

— Chega desse assunto.

Ponho o filme no DVD e me deito nas almofadas.

No meio do filme fazemos uma pausa para ir ao banheiro. Maggie está conversando com a mãe, no andar de cima. Ela me disse que a mãe não tem saído muito do quarto ultimamente. Eu nunca posso entrar no quarto da minha mãe desse jeito. Nem mesmo para perguntar se está tudo bem. Eu não me sentiria à vontade.

Pergunto a Laila:

— Maggie contou a você que o Dave sabotou a apresentação do Tobey?

— Contou. É típico dele. Acho que ainda está magoado.

— Porque eu o dispensei?

— É.

— Ele nem se importou.

— É claro que se importou. Foi você quem o dispensou. Acha que ele não sentiu?

— Ah, por favor. Sei muito bem o que ele estava sentindo. Ficava fantasiando com todo o time das *cheerleaders* enquanto me dizia que queria muito dormir comigo.

— Certas pessoas não sabem como agir.

— Não acredito que em algum momento ele tenha gostado de mim. Argh!!! — Escondo o rosto com uma almofada.

— Foi só uma fase. Já passou!

Levanto a cabeça para respirar.

— Nada muito grave, né?

— Você não tem do que se arrepender — Laila garante. — Agora encontrou uma coisa mais verdadeira.

— Quer parar de dizer isso?

— Você adora ouvir.

Laila tem sempre razão.

Capítulo 32

Uma daquelas conversas

29 de novembro, 16h51

— Não precisa destacar tanto texto — ela me diz.

Estamos no meu quarto, que eu passei três horas limpando para que Sara não me ache desmazelado.

Ela está me ajudando na organização de tudo o que preciso fazer. Disse que estou seguindo direitinho o calendário. Isso é muito legal, porque finalmente temos em comum alguma coisa mais substancial. Sem falar nos outros milhões de pequenas coisas que me fazem tão bem quando estamos juntos.

Agora ela está me mostrando como se estuda.

— Esta parte toda é importante — ela diz. — Eu gosto de passar marca-texto.

— Sim, mas a gente pode destacar só as ideias-chave.

— Toda essa parte tem a ver.

Estamos fazendo sessões de estudo na minha casa duas vezes por semana. Sara tenta ser paciente; sei que isto é muito mais difícil do que ela pensou que fosse. Há muito tempo meus hábitos de estudo se deterioraram, desde minha época de calouro. É difícil retomar, mesmo quando a gente quer. Mas prometi a ela que ia tentar. E, desde então, só tenho tirado nota A.

Meus pais não estão em casa. É difícil manter o foco na matéria quando eles estão fora, porque a minha capacidade de concentração desaparece.

— Parece que é, mas não é — Sara diz.

— O que você sublinharia?

Sara está usando um marca-texto cor de laranja. Ela aproxima sua cadeira da minha. E nós nos debruçamos sobre o livro de história aberto sobre a mesa.

— Talvez isto... — Devagar, ela passa o marcador de texto sobre uma frase. — E isto... — ela risca outra frase. Para mim, as duas frases são iguais. Mas ela tem o dom de saber exatamente o que cada professor quer. Onde é que eu me encontrava quando eles explicaram isso no terceiro ano?

— Detesto história — digo.

— Eu também.

— É mesmo?

— Totalmente.

— Então por que você presta tanta atenção na aula?

— Não importa o assunto. Importa o que a gente faz com ele. — Sara tampa o marca-texto. — Procuro não pensar que aquilo não me interessa. Fico pensando na minha vida e no que eu preciso fazer para que ela seja como eu quero. Aí tudo fica mais simples.

Sara está decidida a vencer. Meus objetivos não me dão tanta motivação. Mas hoje tenho razões de sobra para não ser mais tão relaxado. Algumas pessoas me procuraram depois da Batalha das Bandas e disseram que gostaram da MindFlame. Mas eu sei que a maioria não gostou. Por isso, neste momento, a banda ficou em segundo plano. Quero muito que a Manhattan Music Academy me aceite. Mas em primeiro lugar está Sara.

Depois de ler durante uma hora e conter o vício de destacar todos os conceitos mais importantes, estou exausto. Se eu pudesse, tiraria uma soneca. Mas Sara está sentada na minha cama folheando uns textos de física. Ela fica muito sexy recostada nos meus travesseiros! Mike acha engraçado ter tantos travesseiros. Fica me perguntando onde é que eu guardo os meus ursinhos de pelúcia. O que ele não sabe é que as garotas adoram os meus travesseiros e que eles deixam a cama mais convidativa.

E meus pais ainda não chegaram.

Eu me sento na cama. Sara continua separando os textos.

— Vamos parar um pouco? — pergunto.

— Nós combinamos que só faríamos um intervalo quando você terminasse de estudar ao menos uma matéria — ela lembra, em tom de brincadeira.

— Já terminei.

— Que matéria?

— História.

— Ainda história?

— É, mas já terminei.

Sara me olha desconfiada.

— É sério. Vamos parar um pouco.

— Tudo bem. — Ela abre os braços. — Hora do intervalo. Mas que seja curto.

— O que vamos fazer? — Tento convencê-la telepaticamente a transar comigo.

— Conversar.

— Ah, tá. Tudo bem.

— Ou você prefere fazer outra coisa?

— Quem, eu? Nãão. Conversar está ótimo.

— Perfeito. — Sara dobra as pernas e abraça os joelhos.

— Sobre o que você quer conversar? — Tento parecer à vontade.

— Sobre relacionamentos.

De repente começamos a falar sério. Espero que não seja uma dessas conversas em que a gente precisa dar detalhes sobre cada garota que conheceu. Sara não parece ser do tipo ciumenta. Mas nunca se sabe.

— O que você quer saber? — pergunto.

— Fico pensando... — Ela traça círculos no joelho com os dedos.

— O quê? — Espero que esta conversa termine logo e ela aceite transar comigo. Isso se a pausa para descanso já não tiver terminado. Tento me mostrar interessado.

— Você já... sabe, eu sei que não sou a sua primeira namorada, mas... você já... namorou sério com alguém?

Preciso de alguns segundos para responder. As garotas fazem perguntas que parecem uma coisa, mas na verdade querem dizer outra. O que Sara quer saber? Se já gostei de alguém como gosto dela? Ou se ainda sou virgem?

— Hummm... — É melhor esclarecer, decido. — Você quer saber se eu já tive algum namoro mais longo?

— Sim.

— Na verdade, não.

— Você não saía com a Cynthia?

— Mais ou menos. — Essa parte é mais ardilosa. Fazer sexo com alguém e estar com alguém são coisas diferentes. Cynthia nunca foi minha namorada. Não vou mentir para Sara. Mas também não quero dizer nada que a deixe obcecada, preocupada. Será que ela quer mesmo saber quantas namoradas eu tive? Nem foram tantas. E será que este é o melhor momento para contar que transei com Cynthia? Acho desnecessário. Ao menos por enquanto. — Nunca namorei ninguém por muito tempo.

— Por quanto tempo você saiu com ela?

— Pouco.

— Então, quanto durou o seu relacionamento mais longo?

— Humm... três meses, talvez?

— E o que aconteceu com essa garota?

— Quer saber por que nós terminamos?

— Sim.

— Ela era meio neurótica... Na verdade, ficava deprimida o tempo todo.

— Quem era ela?

— Conhece a Brenda?

Sara acena com a cabeça.

— Ela.

Sara morde os lábios. E balança a cabeça.

— E você e o Scott, quanto tempo ficaram juntos?

— Quase todo o ano passado.

— E o que houve entre vocês? — Preciso ter certeza de que ela não transou com aquele babaca.

Sara pega um pedaço de plástico bolha no chão. Meu pai comprou um computador novo semana passada e eu peguei o plástico bolha da embalagem. Gosto de estourar quando estou estressado.

Sara estoura uma bolha.

— Scott é gente boa. Mas... ele não tem nada demais.

Eu sabia.

Dou risada.

— Ele não chega lá.

— É.

— E eu?

— Você o quê?

— Eu chego?

— Se chega!

— É mesmo?

— É. — Sara sorri. Ela é muito linda.

Eu me inclino para ela.

— Pare!

— Por quê?

— Temos que estudar.

— Mas...

— Eu quero, mas não podemos. Temos que nos concentrar ou você jamais conseguirá dar conta de tudo.

— Poxa, você é jogo duro.

— Fim do intervalo. — Sara pega as páginas de física. — Ao trabalho!

— Tudo bem... bom... será que eu posso ir até a mercearia na esquina? A comida acabou.

Sara me olha como se eu quisesse fugir dos estudos.

— É sério. Se vou trabalhar ainda por muitas horas, meu corpo precisa de um tipo específico de combustível.

— O quê, por exemplo?

— Mallomars e bolachas recheadas...

— Recheio de menta? Hummm...

— Essas mesmo.

Sara lambe os lábios.

— Ok, vá buscar.

— Obrigado. Mais alguma coisa?

— Só isso.

— Legal. — Eu me levanto. — Posso dar um beijo de despedida?

— Pode. Mas um só.

— Combinado. — Eu subo na cama e me arrasto até ela. Sara ri.

— Só um — sussurro. E a beijo.

Não há nada mais difícil do que descer desta cama e sair. E ainda por cima meus pais não estão em casa.

Capítulo 33

Experiência real

22 de dezembro, 16h15

Não sei por que estou tão nervosa.

Mas estou.

— Este é o meu quarto — mostro.

Mas o que quero dizer é: *Esta é a minha cama e estas são as minhas coisas.*

— Gostei — diz Tobey.

Por que ele só está olhando para a cama? Por que a cama parece ser a única coisa deste quarto?

— Sério?

— Claro. É a sua cara.

— É muito pequeno. E esta mesa é... — Olho como quem diz: *quem tem uma mesa como esta?*

— É legal. Isso é juta?

— É.

Tobey vê o que eu tenho nas prateleiras.

— Você tem um xilofone?

— Ah, tenho.

— Demais!

— Pois é. Minha babá me deu quando eu tinha, sei lá, uns 5 anos.

— Sabe tocar?

— Um pouco.

— Legal — diz Tobey. — Ainda não domino a arte do xilofone. Quer me ensinar?

— Claro. — Rapidamente espio atrás da porta para ter certeza de que não há nenhum sutiã pendurado. — É uma experiência inesquecível.

Tobey sorri.

— Estou achando que você tem muita coisa pra me mostrar.

Meu rosto fica subitamente quente.

— É... — Sento-me na cama. Quero fazer qualquer coisa para Tobey não notar que meu rosto está em chamas. Mas, com o rosto vermelho, sentar-me na cama foi a pior coisa que eu poderia fazer. — Este é o Chez. — Mostro o coala de pelúcia que tenho desde que me conheço por gente. — É o apelido do sr. Chester M. Wick.

— Legal a roupa dele — diz Tobey. Chez está vestindo uma camiseta do *Late Night with David Letterman.* — Eu sou fanático pelo Dave.

— Eu também! Quando o entrevistado é bom, eu gravo e assisto depois da aula.

— Eu também. Agora menos, porque tenho muita coisa pra fazer... Tenho a impressão de que nunca mais vou conseguir assistir ao Dave.

— Não diga isso. Você só tem tirado nota A. Depois que você cumprir todas as exigências da faculdade e terminar os trabalhos de reposição, só vai precisar manter. Aí é fácil.

— Pra você, pode ser...

— Pra você também. Tenho certeza.

Tobey está olhando os meus CDs. E eu estou acompanhando o que ele faz. Sempre achei que, se um rapaz gostasse de mim, no mínimo procuraria ver de que tipo de música eu gosto. Dave só punha para tocar os CDs que ele conhecia. Mas Tobey está olhando um por um. Espero que ele goste das mesmas bandas que eu. É claro que não precisamos gostar de *todas* as mesmas coisas. Mas é muito bom saber que temos tantas coisas em comum.

— Nunca imaginei que você gostasse deles. — Ele mostra o CD dos The Shins. — Eles são demais!

— E por que não gostaria?

— Não sei. É que você parece... Eu não sabia que você gostava dos alternativos. — Ele pega outro CD. — Quem é Nick Drake?

— Ouça. Ele é muito bom.

Tobey põe o CD para tocar. Em seguida, vem até mim e me abraça. Encosto a cabeça no peito dele.

— Quero saber tudo sobre você — ele fala baixinho.

— Eu também.

Quero saber tanta coisa sobre ele. Morro de vontade de dizer tudo o que estou pensando. Mas não quero assustá-lo.

Abraçados, Tobey e eu ficamos balançando no ritmo da música. É muito gostoso ter Tobey assim tão perto de mim.

A música termina.

— No que você está pensando?

— Agora? — ele sussurra.

— Sim.

— Estou pensando que é muito bom estar com você — e acaricia meus cabelos.

Eu me dou conta de que posso dizer o que quiser que ele não se assustará. E tenho certeza de que ele sente o mesmo em relação a mim.

— E você, no que está pensando?

— Estou pensando... — Meu coração quase para de bater — ... que estou apaixonada por você.

Tobey não se assusta. Me beija de novo, outra e outra vez, e pousa os lábios sobre os meus.

Quando ele vai embora, apago a luz. Ponho *Disintegration* para tocar e me deito. Ouço o disco inteiro revendo mentalmente o que acabou de acontecer, uma vez, outra, quinhentas vezes. Acho que nunca mais conseguirei pensar em qualquer outra coisa.

No dia seguinte, concordo em fazer uma coisa que não tem nada a ver comigo. Tobey me disse que mudou completamente de vida por minha causa e quer que eu conheça uma parte da sua antiga vida. Será a primeira vez para mim e a última para ele. Porque hoje é véspera dos feriados de fim de ano, e os professores só estão fazendo jogos e brincadeiras. Não há tanta necessidade de participar.

Além disso, os alunos estão muito animados, todos fantasiados, distribuindo doces e cartões. Acho tudo isso muito chato, e só quero sair daqui.

Na classe, ignoro Caitlin e companhia. Eles também me ignoram desde que eu e Dave nos separamos, então não é difícil esquecer que eles existem. Mas é patético que Caitlin só converse comigo se eu sair com quem ela aprova. Eu me concentro na porta azul que estou desenhando no caderno. A porta é ladeada por duas luminárias azuis. Elas simbolizam uma fonte de pura energia azul. Devo ter sido uma mariposa em outra encarnação. Adoro luz, qualquer tipo de luz, especialmente à noite. Mas a luz azul desperta em mim um sentimento muito mais intenso.

Vou para o ginásio, mas antes passo na sala de armários para guardar o material. Encontro um post-it alaranjado colado na porta do meu armário. Está escrito:

S-

Me encontre depois da aula.

-T

Arranco o post-it e colo no meu caderno, já que vou fazer uma página só para o dia de hoje. Quando alguma coisa importante acontece na minha vida, reservo uma página para documentar o fato. Mas, como ainda não sei o que vou desenhar, deixo o caderno no armário.

Estou muito excitada. E assustada. E se nos pegarem? Será que vou conseguir me comportar como uma pessoa normal?

Não estou conseguindo comer.

— Está sem fome? — Laila pergunta.

— Nervosa.

— Relaxa — Maggie aconselha. — Vai ser ótimo.

— Você vai mesmo fazer isso? — Laila me espia com o canto do olho.

— Vou. Eu prometi ao Tobey.

— Por que é tão importante para ele? — Laila pergunta. — Ele não está mudado?

— Ele quer que eu conheça a vida que ele levava para entender de onde vem a sua transformação. E me garantiu que vou gostar.

— Hummm... — Laila morde um pedaço de pizza fria da lanchonete.

— Mas é a primeira e última vez que faço isso — digo. — Só não quero me ver sentada numa cadeira de balanço daqui a dez anos, arrependida por não ter feito. Quero viver o momento. Não posso deixar passar uma oportunidade dessas sem fazer nada.

— Belo discurso, amiga! — Maggie ergue a mão para o alto.

— Posso me sentar aqui?

É Josh. Ele parece um cãozinho perdido.

— Humm... — Olho para Laila e para Maggie. Às vezes o Tobey senta conosco, mas ainda não chegamos ao ponto de nos juntarmos na mesma mesa.

Laila pronuncia um *não* sem som.

Maggie se adianta.

— É que nós estamos conversando... coisas de mulher. Você não vai gostar.

— Ah, por mim tudo bem. Na verdade é um dos meus assuntos favoritos. — Ele sorri.

— Cadê o Tobey? — pergunto.

— Não sei. Por aí com o Mike. Eles gostam de ficar sozinhos de vez em quando. — Josh lança um olhar malicioso para mim. — Se eu fosse você, ficaria preocupada, Sara.

Dou risada. Josh é uma figura.

— Engraçadinho! — diz Maggie.

Ele sorri outra vez.

Maggie não sorri de volta.

— Ok... Vejo vocês depois. — Ele sai andando na direção da mesa dos geeks do teatro.

Laila se volta para Maggie.

— O que é que está havendo?

— O quê? — Ela dá um gole na limonada. — Nada.

— Nããão — Laila insiste. — Tem alguma coisa acontecendo. É o sr. Feliz do Josh?

— *AimeuDeus!* — Maggie reage. — Eu não gosto dele!

— Tem certeza? É que me pareceu...

— É claro que eu tenho certeza. Tenha dó. O Josh? Ui!

— É você que está dizendo!

— Não temos nada mais importante para conversar? — Maggie abana o rosto com um guardanapo. — E aí, o que vai acontecer mais tarde?

— Vamos sair depois da oitava aula.

Ouço um burburinho que vem da mesa do time de basquete. Olho naquela direção e vejo Dave enfiando um canudo no nariz enquanto os amigos dão risada. Como ele pode ser tão infantil?

— Que coisa horrível! — Laila decreta.

— Abominável! — Maggie acrescenta.

— Nossa! Você continua lendo o dicionário? — pergunto.

— É claro.

Meus nervos estão à flor da pele. No bom sentido. As experiências reais começaram a acontecer. Todas elas muito significativas.

Encontro Tobey no corredor dos armários e estou muito nervosa.

— Está pronta? — ele pergunta.

Antes eu tinha esse problema de não ouvir a mim mesma. Meu coração me mostrava um caminho e eu fazia exatamente o contrário. Normalmente eu recusaria um programa como esse. E ainda sinto que não estou querendo ouvir o que o meu coração diz. Mas a boa notícia é que estou conseguindo me soltar.

Eu aceno com a cabeça.

Não acredito que vou matar aula.

Jamais matei aula na vida.

Adoro atravessar o saguão ao lado de Tobey. É como se fôssemos donos de tudo. Poder sair na hora que queremos. Não ter que sair pela porta lateral para que ninguém nos veja seguir para o estacionamento.

É muito emocionante estar aqui fora quando eu ainda deveria estar lá dentro. Uma deliciosa sensação de liberdade.

Entramos em uma pequena estrada de terra sem saída. Não há nada por perto, apenas árvores em toda a volta.

Tobey desliga o motor. Abre o porta-luvas e tira um pacote bonito, embrulhado para presente.

— Feliz Natal — Ele me entrega o pacote.

— Que lindo! Foi você quem fez?

— É claro que não. É um pacote profissional!

— Adorei.

— Você merece.

Eu também pego o presente dele na bolsa. Estamos trocando presentes hoje porque ficaremos ocupados com os programas familiares nos próximos dias. Eu gravei um CD com músicas variadas e comprei uma lâmpada de luz negra para ele.

Desembrulho o presente que ganhei. Ele também gravou um CD para mim. E está me dando o disco novo do White Stripes.

Tobey vasculha todas as fitas e CDs que estão no banco de trás.

— Existe algum tipo de música de que você não goste? — pergunto.

— Não. Bem, talvez ópera.

— E esta banda, Jane's Addiction?

— Ah, eles são ótimos. Posso te emprestar.

— Obrigada.

— Aqui está o R.E.M., que eu estava ouvindo antes.

Adoro como ele diz "antes". Adoro que esta história seja nossa.

Tobey me dá o CD.

— Ouça pelo tempo que quiser.

Eu examino a capa.

— Por que a capa é laranja se o disco se chama *Green?*

— Olhe bem.

— Não é laranja?

Tobey pega o CD e segura na frente do meu rosto.

— Fique olhando.

Olho fixamente para ele. E procuro não rir.

— Agora olhe para a frente bem rápido.

Foco na tampa do porta-luvas e, por alguns instantes, vejo uma mancha verde.

— Que incrível!

— São cores complementares.

— É mesmo.

Olho para Tobey, e ele não tira os olhos de mim.

— Bom, hum... Espero que você goste das músicas — ele diz. — Gravei *You Are the Everything* desse CD *Green;* é a música que você conhece. Tem também Journey e James Taylor ao vivo... Ah, e algumas do Led Zeppelin de que você gosta...

Adoro ele se lembrar do que eu gosto.

— Obrigada!

Tobey me abraça e beija a minha nuca. Uma sensação deliciosa. Tudo à minha volta desaparece.

— Vamos lá para trás? — Tobey pergunta.

— Vamos. Não me importo que esteja tão frio.

Nós passamos para o banco de trás. O banco é grande. O carro todo é grande. Me lembro que Matt caçoou deste carro no estacionamento. Disse alguma coisa como "O que esse *Titanic* está fazendo aqui?".

— O aquecedor está ligado, mas se a bateria pifar estamos fritos — diz Tobey.

— Tá tudo bem.

— Espere. — Ele vai até o porta-malas e volta correndo com um cobertor.

— O cobertor está meio fedido. Desculpe.

Cheira a gasolina. Um cheiro que nunca me incomodou.

— Tá ótimo.

Tobey estende o cobertor sobre o banco. E me beija.

— Você está bem?

Como não sei mais como dizer sim, apenas movo a cabeça.

Nós nos beijamos outra vez. Ele tem uma boca deliciosa.

Parece que se passaram cinco minutos, mas sei que estamos aqui há mais de uma hora, pelo menos. Já começa a escurecer. Os vidros estão embaçados e meus lábios, inchados.

Adoro sentir as mãos de Tobey acariciando o meu corpo.

— Sara — ele fala baixinho —, você é tão gostosa.

Eu o beijo mais e mais.

Ele geme. Quero tirar as roupas dele... saber como ele é. Mas ainda tenho medo.

Ele diz:

— Não estou aguentando mais.

Adoro que ele me deseje tanto. E o melhor é que não estou sendo forçada a nada. Ficamos encostados um no outro por mais um tempo.

Por fim ele diz:

— Eu não queria, mas... acho que você tem que ir para casa.

Eu também não quero ir. Quero ficar aqui com ele, assim, para sempre.

Ficamos de mãos dadas durante todo o trajeto para casa.

Agora, vamos supor que voltamos à vida normal. É isso que as pessoas fazem. Elas têm experiências incríveis ao lado da pessoa amada e voltam para casa para limpar o banheiro, a cozinha ou fazer qualquer outra coisa.

Capítulo 34

Fatos chocantes

5 de janeiro, 10h04

Fato Chocante #1: estou fazendo os exercícios de matemática.

As minhas notas continuam boas. Estou decidido a provar para Sara que mudei. E que me sairei tão bem na faculdade quanto ela espera que eu me saia.

Sinto-me tão bem que estou disposto a cometer uma loucura na aula de cálculo. O sr. Perry está nos chamando para resolver no quadro-negro os exercícios que fizemos em casa.

— Vinte e três — ele chama. — Quem quer resolver o 23 na lousa?

Cinco alunos histéricos erguem tanto os braços que por pouco não tocam o teto.

Fato Chocante #2: neste momento meu braço direito está erguido.

Nunca ergui o braço na aula de matemática. Jamais. Nem mesmo para responder a uma pergunta fácil. Estou fazendo todos os trabalhos, mas é só isso; nada além.

Todos me olham espantados. Uma garota começa a rir.

O sr. Perry pensa que estou brincando.

— Sim, Tobey? Em que posso ajudar?

— Quero resolver o 23.

A classe fica muda como se jogássemos Luz Vermelha-Luz Verde e eu gritasse: "Vermelha!"

O sr. Perry não acha graça e começa a procurar outra pessoa.

— É sério. Eu resolvi esse exercício em casa. Quer ver? — Ergo a folha de exercícios. — É o 23.

— Tudo bem. — Ele ainda não se convenceu totalmente. Pensa que só vou arrancar os pôsteres da parede. — E o 29? Quem fez?

Dou risada enquanto me encaminho para o quadro-negro. É impossível evitar. Culpa da Sara. Mesmo não estando ao meu lado, ela está comigo.

O 23 é o exercício mais difícil. Mas eu sei que todas as etapas estão corretas.

Fato Chocante #3: Se não o conhecesse bem, eu diria que notei um brilho de esperança no olhar do sr. Perry.

A nossa relação anda meio tensa desde a Batalha das Bandas. A dinâmica mudou. O que aconteceu nos estressou.

— Que tom é este? — Mike espreme os olhos para enxergar melhor a partitura que fiquei escrevendo até as duas da madrugada.

— Fá menor — digo.

Mike chega mais perto.

— Ah, tá, agora estou vendo.

Josh está deitado no chão da garagem.

— Que chão frio!

— Levanta daí, então — Mike diz.

— Estou tentando, mas meu corpo ainda não acordou.

Mike belisca a ponta do nariz. E deixa a partitura sobre o amplificador.

— Você tá pior do que eu.

— Ninguém me vence no departamento cansaço — anuncio.

— Agora você sabe como a gente se sentiu o ano todo — Josh comenta. — A gente tem que se esforçar muito pra manter a média C.

— Isso é porque você anda fumando muita maconha — eu brinco.

Josh ameaça jogar a lata de refrigerante amassada em mim. Ele ergue o braço a poucos centímetros do chão e a lata cai ao lado dele.

— Isso é pra você. — Parece que ele vai pegar no sono a qualquer momento.

— O que está acontecendo com a gente? — pergunto. — Ultimamente mal temos energia para fazer metade das coisas que precisamos. E não estamos tocando como sabemos tocar.

Não gosto mais de estar aqui como gostava antes. E eles também não.

— Tô acabado — Mike anuncia.

Josh boceja.

— Talvez a gente precise... — Quero dizer que a gente precisa dar um tempo. Ainda estou fazendo os trabalhos do ano passado e só tenho uma semana para terminar tudo. Além disso, para manter a média A, tenho que fazer um monte de projetos e relatórios. E, com o fiasco na Batalha das Bandas, o nosso grupo não vai fazer sucesso.

E a gente vai acabar se separando.

— Precisa o quê? — Mike pergunta.

— Não sei. Tava aqui pensando... Tá todo mundo tão ocupado, tão cansado que... não é mais como era. Os ensaios, quero dizer. Acho que a gente precisa dar um tempo.

Isso faz Josh dar um salto.

— Não vamos dar um tempo em nada. — Ele se senta. — Nós temos é que trabalhar muito mais.

— Eu sei — digo. — Acha que não sei?

— Então, por que está dizendo isso? — Mike pergunta.

— Eu estou dizendo que... — Mas então eu paro. Nem sequer pensei direito no que quero dizer. — Esquece. Vamos parar um pouco o ensaio e... Quero mostrar o que vou apresentar na audição. E vocês me dizem o que acham.

Mike se acalma.

— O que você vai tocar?

— Tem que ser alguma coisa da minha autoria. Ainda não tem título.

Passo a alça da guitarra pelo pescoço, toco o primeiro acorde e continuo tocando de cor. Essa é uma habilidade minha: consigo tocar de cor. Mesmo sabendo ler música muito bem. Ao menos tenho isso a meu favor. E desviar a atenção dos juízes do meu histórico escolar é a única coisa que pode me salvar.

Considero este o meu melhor trabalho. Vou provar a eles que sou bom. Em algumas partes a música é bastante técnica, mas nada muito complicado. Apenas o suficiente para que eles esqueçam o meu histórico.

Termino de tocar e espero a reação deles.

— E então, o que acharam?

Mike e Josh trocam olhares.

— Hummm... — Josh massageia as têmporas como se tivesse uma dor de cabeça colossal.

— O que é isso? — Mike pergunta.

— É a minha música, sua besta.

— Você vai mostrar isso pra alguém? — Jake balança a cabeça. — Não devia.

— É, eu acho que você.... Como é que chama quando é parecido com dublar, mas com a guitarra? Dublagem de palheta?

— Acho que o termo é dublagem de dedilhado.

— Tudo bem. O que vocês acharam?

Josh finalmente se levanta do chão.

— É muito boa!

— Sério?

Mike concorda.

— Eles não vão acreditar no que estão ouvindo.

Pode ser. Tomara que eu tenha a chance de continuar vendo Sara no ano que vem.

— Vamos nessa — Josh começa a juntar suas coisas.

— A gente volta amanhã? — Mike pergunta.

— E por que não?

A caminho de casa, fico pensando em Sara. Tentei contar a ela a verdade sobre Cynthia, mas não tive coragem. Não quis aborrecê-la. Mas vou ter que contar em algum momento. Especialmente se as coisas entre nós continuarem como estão. As duas últimas vezes que saímos no meu carro foram muito intensas. O problema é que eu não quero que ela se magoe. Como será que ela vai reagir quando souber que eu transei com outra pessoa? Vai pensar que eu sou como Dave, que só pensa em sexo? E quando souber que foi com Cynthia? Vai continuar gostando de mim?

Capítulo 35

Terríveis descobertas

11 de janeiro, 9h18

Quando o sr. Perry se vira para o quadro-negro, jogo um bilhete na carteira de Laila.

Ontem eu estava na casa de Tobey, e ele saiu para abastecer o estoque de lanches para nossas habituais pausas de estudos. Ele saiu sob a condição de trazer as minhas bolachas de chocolate recheadas com menta. Enquanto ele estava fora, eu aproveitei para olhar o seu quarto. E encontrei camisinhas na gaveta da mesa de cabeceira. E, embaixo de algumas roupas sujas que iriam para a lavanderia, uma caderneta onde ele escreve suas letras de música inspiradas em garotas. A última que ele escreveu fala de uma transa muito intensa com uma menina misteriosa. Que não deve ter acontecido. Porque, se Tobey me disse que nunca namorou sério antes de mim, não deve ter transado com ninguém. Ele não é do tipo que dorme com qualquer uma. Nem quero pensar que ele já se deitou com outra.

Mas, e essa letra? Tão realista... É como se tivesse realmente acontecido.

O bilhete volta para a minha carteira. Eu o cubro com a mão. O sr. Perry está explicando a Regra da Cadeia. Deslizo o bilhete sobre o tampo da carteira. E deixo cair no meu colo. Desdobro devagar, para abafar o barulho do papel. E leio:

La,

E se a música não for para mim?

-S

Sa,

Para quem mais seria?

-L

Você,

Yo no sé. Será que estou paranoica?

-Eu

Eu

É você, claro. Ele não pensa em outra coisa. Só você.

- Você

Bert -

Por que será que ele não gostou quando eu perguntei das ex-namoradas?

-Ernie.

John Mayer

Talvez ele tenha ficado sem graça porque não tem muita experiência. Quer mostrar que entende de mulher. Eles acham que assim são mais atraentes.

- Jon Stewart

Wallace

Tá ficando difícil não transar com ele. Tô até me sentindo uma vadia.

- Gromit

Pokey

Mas você continua sendo a boa moça que a gente conhece e ama. Por enquanto.

- Gumby.

Vou começar a escrever alguma coisa mais obscena quando percebo que a classe está em silêncio. E que o sr. Perry está parado na frente da minha carteira. Olhando para mim.

Ele tira o bilhete da minha mão com um movimento inesperado.

— Vamos mostrar para toda a classe o que temos aqui? — ele ameaça. Fico paralisada de medo. Ele não pode ler este bilhete. De jeito nenhum.

— Por favor, não faça isso — imploro em voz baixa.

— Como? Não ouvi, Sara.

Olho para ele. Está me desafiando. Não quero olhar assim para ninguém. Porque estou cheia de luz, de paz interior. O sr. Perry está me testando.

A campainha toca.

O sr. Perry vai para a sua mesa e enfia o bilhete embaixo de uns livros. A classe começa a guardar livros e cadernos nas mochilas, Joe Zedepski pega a sua calculadora do chão, Scott olha para mim achando que não estou vendo, o apontador elétrico é acionado para fazer a ponta num lápis, três alunos cercam o sr. Perry na frente do quadro-negro para fazer uma pergunta e a próxima aula já vai começar. Então, Laila se aproxima da mesa do sr. Perry e resgata o bilhete sem que ele perceba.

No dia seguinte tem reunião dos professores e não temos aula. O que significa que passarei o dia todo na casa de Tobey. Enquanto os pais dele estão trabalhando.

— Quer beber alguma coisa? — ele pergunta.

— Você quer me distrair porque estou ganhando.

— Ganhando? Não acho, não.

— Sinto muito. Veja as minhas peças e veja as suas. Não dá pra perceber?

— Eu sou recordista mundial em vitórias de gamão.

— Ah, mas não é mesmo.

Eu me levanto do saco de bolinhas e me espreguiço. Procuro agir naturalmente, mas é um movimento totalmente estratégico. Com a blusa que estou usando e a maneira como me espreguiço, a blusa se ergue e minha cintura fica à mostra. Tobey percebe.

Na cozinha, vejo um *mixer* e um *shake* de proteínas sobre o balcão.

— Isso não tem gosto ruim? — pergunto.

— Se eu não respirar pelo nariz, não sinto.

Tobey está usando a camiseta de que eu mais gosto — uma vermelha com letras brancas brilhantes. Está escrito I'M BIG IN EUROPE. Quando ele usa essa camiseta acontece alguma coisa comigo que eu não sei dizer o que é.

Dou um impulso para me sentar no balcão. E bato a cabeça no armário.

— Ai!

— Machucou? — Tobey se aproxima e põe as mãos sobre os meus joelhos. — Onde está doendo?

— Aqui — Mostro.

Ele afaga a minha cabeça.

— E aqui. — Encosto o dedo nos meus lábios.

Ele me beija. E me beija. Quero ficar com ele assim para sempre.

Por fim, Tobey diz:

— Eu ia pegar alguma coisa pra gente beber.

— E você ia perguntar o que eu quero.

— Isso. O que você quer? Tem suco de laranja, leite, chá gelado...

— Ele pega chá gelado. Tobey já sabe que eu gosto.

— Quem é que bebe leite puro?

— Puro? Você quer dizer, direto da embalagem?

— É, sem cereal, sem nada. Quem bebe leite assim? A menos que acompanhe um bolo de chocolate ou qualquer outra coisa.

— Qual é o problema?

— Ai, é nojento.

Tobey ri e pergunta:

— Vamos lá para o quarto?

Estou esperando o dia inteiro que ele me faça essa pergunta. A espera estava me deixando louca.

Está escurecendo. O que eu não gosto no inverno é que eu só consigo ver a luz do dia pela janela da escola. Mas Tobey põe uma música, apaga a luz e o quarto fica delicioso. Ele liga o abajur ao lado da cama. É uma luz azulada.

— Que gostoso — digo. — É a minha luz preferida. — É um sinal. Está por toda parte.

— Quero que você ouça uma coisa. — Tobey vai até o aparelho de som.

Adoro estar aqui no quarto dele. Sentindo o cheiro dele. Lembro da primeira vez que abri o armário.

Tobey põe um CD para tocar e se deita ao meu lado. Olho para ele e penso: *Como foi que cheguei até aqui?*

Ele afasta uma mecha de cabelo do meu rosto.

— Oi — diz.

— Oi — respondo.

Não vejo o tempo passar. Quando estou com Tobey, uma hora parece um segundo. Só quero beijá-lo e ficar com ele para sempre. Não quero nunca mais sair deste quarto. Quero me lembrar de tudo o que estou sentindo neste momento e, quando nos separarmos, continuar sentindo as mãos dele em meu corpo. Quero me lembrar de cada toque.

Então ouço um barulho no andar de baixo.

— O que foi isso? — pergunto.

— É a porta da varanda. Faz esse barulho quando abre.

Eu estou em cima de Tobey. Só de calcinha, sem sutiã. Ele tirou a camisa, mas não a calça. Quanto tempo ainda vai levar para ele tirar a calça? Eu decidi tirar toda a roupa.

— Tobey, você está aí? — O pai dele abre a porta sem bater. E vê a cena.

— Oh — diz. — Você deve ser a Sara.

— Pai! — Tobey grita. — Por que não bateu?

— Eu toquei a campainha, mas você não ouviu — ele procura falar normalmente, como se esta garota que ele nunca viu não estivesse deitada por cima do filho dele só de calcinha. — Você precisa tirar o carro para eu poder entrar.

E sai em seguida.

Fico estarrecida. O pior aconteceu.

— *AimeuDeus*! — Começo a me vestir rapidamente. Estou tremendo. — Isso não está acontecendo.

Tobey se senta.

— Não se preocupe, não vai acontecer nada. Eu não sabia que eles voltariam mais cedo. — Ele me abraça. — Sinto muito. Vou descer para ver se conseguimos sair sem que eles nos vejam.

— O que eu faço? — Olho pela janela e calculo a altura em que estamos. Nada me fará descer aquelas escadas.

— Não se preocupe — ele repete. É fácil dizer isso quando não é você que é pego em flagrante. — Eu volto logo. Depois a gente sai.

Fico parada no meio do quarto tentando pensar. O que eu poderia dizer? O que se diz numa situação dessas? "Ei, pessoal, tudo bem? Ainda bem que o senhor não entrou dez minutos depois, sr. Beller."

Melhor não.

Pouco depois, a mãe de Tobey entra no quarto.

— Sara? — Ela estende a mão para mim. — Sou a sra. Beller. Finalmente estamos nos conhecendo. Desculpe o sr. Beller ter entrado sem bater.

— Eu é que peço desculpas — Me esforço para não chorar. — Estou muito constrangida.

— Eu sei, mas acho que o sr. Beller já se recuperou. Você é a primeira namorada do Tobey que nós conhecemos. — Ela sorri e passa o braço pelos meus ombros. — O sr. Beller quer conhecer você. Vá cumprimentá-lo, depois o Tobey leva você para casa, está bem?

Eu aceito, agradecida. Pior seria se ela me convidasse para tomar um chá. Mas agora fiquei curiosa. A primeira *namorada* de Tobey que eles conhecem? Quantas ele teve, afinal? Mesmo que não tenham sido relacionamentos sérios? Não quero perguntar a ele, ficar choramingando como uma namorada ciumenta. Prefiro confiar nele. E a mãe dele disse que eles estavam querendo me conhecer, então Tobey deve ter falado de mim para eles.

Eu desço e encontro o sr. Beller fazendo café.

— Oi — digo novamente. Procuro falar com naturalidade.

— Oi — o sr. Beller responde. — Você fica bem diferente vestida. — Ele dá risada.

Ele não disse o que eu acabo de ouvir.

— Vai com calma, pai. — Tobey segura minha mão. Ficar de mãos dadas na frente dele não é nada comparado ao que acabou de acontecer lá em cima.

— Tudo bem. Tchau, Sara. Espero que a gente se veja logo.

Nós saímos.

— Espero que eu esteja vestida — completo para Tobey.

Ele ri.

Eu aperto o braço dele.

— Não tem graça nenhuma. Estou desolada, não sei onde enfiar a cara.

— Ah, não se preocupe. — Ele abre a porta do carro. — Daqui a pouco nós vamos rir de tudo isso.

— Seus pais devem me achar uma vagabunda.

— Não diga isso! Eles adoram você. Sabem que é por sua causa que minhas notas estão tão boas. Estão felizes da vida porque finalmente estou namorando alguém a sério. Eles se perguntavam quando eu iria tomar jeito.

Nós falamos desse encontro durante todo o trajeto para a minha casa. Não consigo rir do que aconteceu. É o meu antigo eu, que jamais aceitaria viver sem dar importância ao que os outros pensam. E agora aqui estou eu, assim novamente.

Capítulo 36

Pontos

9 de fevereiro, 3h02

Minha audição na Manhattan Music Academy será na terça-feira. Além da ansiedade antecipada, hoje é domingo, já é noite e amanhã tenho que acordar cedo para ir à escola. Não consigo dormir porque a cabeça não dá trégua. Por mais cansado que eu esteja. E não há nada que eu possa fazer além de continuar na cama. Sinto-me frustrado às três horas da madrugada.

Então, algumas horas antes de Sara chegar para guardar a mochila no armário, eu já estava lá. Esperando por ela desde que as portas da escola se abriram. Acho que hoje é o dia em que eu cheguei mais cedo.

— Nossa! — Sara exclama. — Tão cedo e você já por aqui?

— Pois é. Embora ainda seja cedo para eu ter certeza de qualquer coisa. Talvez nem seja eu. Estou tão cansado que nem sei o que digo.

Sara examina meu rosto.

— Você está bem?

— Não consegui dormir.

— Por causa da audição?

Aceno com a cabeça.

— Ouça. — Sara segura meu rosto entre as mãos. — Não tem nenhum motivo para você ficar nervoso. Só tirou nota A durante todo o semestre. O sr. Hornby não disse que a sua música está ótima?

— Disse...

Não me parece que ela esteja querendo ser gentil ou me fazer sentir melhor. Sara acredita realmente que sou bom.

— Você pode sair depois da aula? — Passo o braço pela cintura dela. — Estou precisando arejar.

Sara enfia as mãos nos meus bolsos.

— Tenho uma ideia melhor.

Encosto a testa na testa dela.

— Às vezes você tem ótimas ideias.

— Às vezes?

— O que é?

— Surpresa.

— Quero uma pista.

— Hum... É uma coisa que nós dois gostamos de fazer.

Incríveis cenas de sexo passam pela minha cabeça. Será que ela vai me levar para a casa dela?

Sara sussurra...

— Imagine... nossas mãos trabalhando.

— Agora, sim, você me deixou curioso.

Estou surpreso, e um pouco desapontado, quando entramos no fliperama para jogar Skee Vall. Mas qualquer coisa serve para afastar a minha cabeça da audição.

Sara é boa neste jogo. Não sei como ela consegue colocar todas as bolas no buraco central (50 pontos) ou no círculo ao redor do centro (40 pontos). Tenho sorte quando minhas bolas param no terceiro círculo (meros 30 pontos), porque, em geral, elas não saem do último círculo (humilhantes 10 pontos).

— Qual é a sua técnica? — pergunto.

— No jogo?

— É.

— É tudo aqui no pulso.

— Ah, por favor, não me humilhe.

Se ela soubesse o que faz comigo...

No próximo fim de semana é o Dia dos Namorados. Vou convidar Sara para sairmos por aí. Já fizemos isso duas vezes. São passeios de um dia em que pegamos a Rota 78 e entramos em pequenas estradas de terra desconhecidas. Da última vez fomos parar em um camping de trailers perto de Newark. Ela adorou. Desta vez estou pensando em fazer algo ainda melhor.

— O que você tem que fazer — Sara continua, sem olhar para mim — é levar a bola até sentir que ela "pega" em alguma coisa. Como se o feltro prendesse a bola em algum ponto, e, se você deixar, ela continua rolando devagar.

Tento, mas não consigo. Uma fileira de tickets desenrola da caixa a cada jogada de Sara. Enquanto eu consigo dez, no máximo.

Em uma tacada excepcional, eu me abaixo para rasgar os tickets dela.

— Não, senhor! — ela grita.

— Eu só estava pegando os seus tickets. A tira está ficando muito comprida.

— É assim que eu gosto. Fica parecendo que tenho mais.

— Como se você precisasse de mais tickets! — Ela já tem tickets suficientes para trocar por um bom prêmio. Provavelmente vai escolher um daqueles bichos de pelúcia que ficam por cima dos outros prêmios perdidos. Quanto a mim, terei sorte se sair com uma bolinha colorida ou um pacote de balas.

Como eu disse, Sara escolhe um pinguim gigantesco. Pego a minha bolinha de silicone e guardo o resto dos tickets. E, quando Sara vai ao banheiro, troco-os por um brilhante anel de plástico. É o meu presente de Dia dos Namorados.

Esta noite eu dormi melhor. Mas acordo um segundo antes do relógio disparar e novamente a ansiedade me atinge como um soco no estômago. Na viagem de trem para Nova York, só consigo pensar que vou concorrer com gente muito melhor do que eu. Deixei de ser o sr. Aplicado para ser o sr. Ansioso.

Imaginei que a audição seria em um palco vazio, pouco iluminado. Que na plateia estariam alguns juízes anônimos, cujas expressões eu não poderia identificar. Até o ar seria rarefeito. Eu tocaria na penumbra e iria embora sem saber que destino me aguardava.

Não esperava encontrar uma sala de ensaios ensolarada e pessoas simpáticas sentadas atrás de uma mesa. É isso que vejo quando a porta se abre.

— Tobey Beller? — pergunta uma mulher que parece ser uma funcionária.

— Sim.

— Sou Jenna Segal, a...

— Diretora de matrículas — completo. Lembro-me do nome dela na carta que me avisava sobre o dia da audição.

Ela sorri. — Isso mesmo. — E apertamos as mãos.

As três pessoas à mesa estão sorrindo. A sra. Segal me apresenta.

Começo a me preparar. No local tem uma estante de música e outros equipamentos.

Eu me equilibro no banquinho. Os juízes já têm a partitura que enviei na semana passada, e eu não preciso de uma cópia. Somos apenas eu e minha guitarra.

— Quando você estiver pronto — diz a sra. Segal.

Começo a tocar e ponho em prática uma técnica de visualização que Sara me ensinou. Vejo-me aqui em setembro, tocando nesta sala, compondo a melhor música da minha vida. Indo até a NYU todos os dias para ver Sara. Música. E Sara. Só preciso disso na vida para ser feliz.

— Obrigada — diz a sra. Segal. — Entraremos em contato.

Olho para aquelas pessoas sorridentes.

Ou são todas muito felizes ou gostaram do que ouviram. Acho que fui bem, mas não sei dizer, porque ainda estou meio anestesiado.

— Obrigado pela atenção — eu digo a eles. — Foi muito importante para mim. — Guardo minha guitarra e sorrio para todos ao sair. Gente feliz gosta de gente feliz.

Na sala de espera há mais dois candidatos. Um deles é uma garota punk de cabelo espetado, calça de couro e piercing nos lábios. O outro é um sujeito de óculos com uma camiseta onde se lê "Vote no Pedro" e um estojo de clarineta no colo. A Manhattan Music Academy é famosa pela diversidade.

De volta para casa, sento ao lado da janela do trem e fico ouvindo o meu iPod. Além dos trilhos, através das árvores vejo casas com as luzes já acesas.

Esta é a parte mais difícil: esperar para saber o que o futuro me reserva.

Capítulo 37

Probabilidade

12 de fevereiro, 8h10

Os olhos de Maggie estão inchados e vermelhos. O pai dela disse que está indo embora. Comunicou quando estavam tomando café da manhã.

— Não vou conseguir jogar — ela fala em voz baixa. — Vamos ao banheiro.

Saímos sem que ninguém nos veja e ficamos perto das pias.

— Foi horrível! — ela exclama numa voz rouca. — Eles vão mesmo se divorciar.

Ela abre a torneira e joga água fria no rosto. Fico zangada comigo mesma por ser tão mesquinha. Eu jamais lavaria o rosto num momento como esse. Teria que repor o corretivo, passar mais hidratante, e tudo ficaria mais complicado.

— Ele vai se hospedar num hotel. Não é patético?

— Ele merece — digo. — Será bom para ele sofrer um pouco e pensar melhor no que fez.

— É, pode ser. Ele não vai mudar. Minha mãe me disse que fez tudo que pôde para fazê-lo feliz, mas não adiantou. Por isso eles brigavam tanto. — Maggie fecha a torneira. — Os homens são todos iguais. Só pioram com a idade. — Ela se olha no espelho. — Isto não está acontecendo.

Procuro algo para dizer que a faça se sentir melhor. Que ajude a diminuir seu sofrimento. Mas não encontro nada.

Maggie dá um suspiro profundo.

— Enfim...

— Eu sinto muito, Mags.

— Eu sei.

A manhã toda fiquei triste por causa de Maggie. E, quando Laila e eu estamos a caminho da lanchonete e Cynthia me chama, não sinto vontade de falar com ela. Embora eu saiba que ela e Tobey saíam juntos no ano passado, duvido que ele gostasse dela.

Cynthia vem ao meu encontro. E para na minha frente, bloqueando meu caminho.

— Sara? — ela pergunta, como se não soubesse meu nome.

— Sim?

— Diga ao Tobey que eu mandei um beijo.

Laila olha como se ela tivesse fugido de um hospício.

— Hã... Tá bem — digo.

— Obrigada. A gente se vê! — Cynthia se afasta, requebrando.

— O que foi *isso?* — Laila pergunta.

Eu não respondo. Porque ela parecia muito interessada no meu namorado. E eu prefiro não comentar.

Na lanchonete, estamos eu, Laila, Maggie, Mike e Josh, todos na mesma mesa. Laila e eu nos acomodamos. Os outros ainda não chegaram.

— Você vai contar ao Tobey? — Laila pergunta.

— Não. Ela só quer criar caso. Quer ver se vou brigar com ele, tenho certeza.

— Fascinante! Espero que a qualidade das interações sociais melhore daqui até a faculdade.

Tobey chega e senta ao meu lado.

— Oi, linda — diz.

— Oi. — Olho no fundo dos olhos dele para ver se alguma coisa mudou. Mas só vejo a doçura de sempre.

Na fila, Tobey diz:

— Uau! *Déjà vu.*

— O quê?

— Não me diga que se esqueceu da nossa moeda.

A princípio, não sei do que ele está falando. Então me lembro de quando batemos a cabeça ao nos abaixarmos para pegar a moeda que eu deixei cair no chão. Muito antes de tudo começar.

— Jamais — prometo.

De volta à mesa, encontramos todos reclamando do sr. Carver.

— Eu juro que ele fuma — diz Josh.

— Fala sério. — Mike dá um gole em sua bebida. — O homem é perturbado.

— Ele precisa rever a profissão que escolheu.

Josh fica olhando para Maggie.

— Sargento combina bem com ele — Maggie propõe.

Dou um gole no meu chá gelado e olho ao redor da mesa. Tudo está diferente deste lado do mundo. Finalmente posso relaxar e nunca mais me preocupar com o que os amigos de Dave pensam a meu respeito. Quando estou com Tobey e os nossos amigos me sinto absolutamente à vontade.

Tobey pega o meu guardanapo, escreve alguma coisa e passa para mim.

Leio:

Você está linda.

Imediatamente fico vermelha.

Ele escreve mais alguma coisa:

E é ainda mais linda quando fica vermelha.

Mike está discursando sobre o tempo que gasta para escrever aqueles ensaios para a faculdade.

— Eu juro que um deles era: "Escreva uma autobiografia de 287 páginas". Quem aguenta uma coisa dessas?

— *AimeuDeus!* — diz Maggie.

— O quê?

— De onde era esse mesmo?

— Da New School.

— Recebi o mesmo da Flórida!

— Cara — diz Mike —, é de doer!

— Vocês não sabem de nada — Laila começa.

Hoje tem anéis de cebola. Tobey e eu pegamos ao mesmo tempo os sachês de mostarda. E começamos a abrir.

Espero Tobey espremer a mostarda no prato.

— Para que serve a mostarda? — pergunto.

— Para isto. — Ele passa a cebola na mostarda.

— Nem pensar — digo.

— É muito bom.

— Você *não* gosta disso.

— Gosto, mas você não gosta.

— Por que não?

— Porque a probabilidade de duas pessoas sentadas à mesma mesa gostarem de anéis de cebola com mostarda é muito pequena. A estratosfera incendiaria e a vida deixaria de existir no planeta.

— Isso é sexy.

— É um tesão.

— Preciso entender melhor. — Laila está comentando do outro lado da mesa. Ninguém percebeu o clima que se criou entre mim e Tobey. — Você quer ser ator?

— Quero. — Josh abre um sorriso largo.

— É o seu objetivo profissional?

— Arram.

— Tem algum plano B?

— Laila, você conhece o John Mayer, não conhece?

Ela hesita.

— Conheço.

— Bom, não sei de que música é, mas sabe quando ele diz que sempre lhe disseram para andar na linha? E que havia muito mais coisas do outro lado?

Laila sorri.

— Entendi.

Josh se acha o máximo.

— Quem quer mais bolo? — ele pergunta.

— Não, obrigada — diz Maggie.

— Ah, bom... Quer que eu pegue mais alguma coisa pra você?

Maggie olha na direção da porta, como se quisesse fugir.

— Hã... Não, obrigada.

— Tem certeza? — Josh insiste.

— Estou satisfeita — diz Maggie. Dá pra notar que ela está começando a gostar de Josh. Finalmente se livrou de Rick, um paquerador profissional. Ele não ligou mais. Enquanto isso, Josh encheu Maggie de atenções, e eles até conversaram sobre as respectivas famílias. Josh não faz o tipo dela, por isso ela ainda resiste. Mas, agora que finalmente eu conheço a força dos sentimentos, posso dizer que ser ou não o tipo preferido é o que menos importa.

Procuro ver se Maggie está se sentindo melhor. Ela pisca o olho para mim.

E, no meu guardanapo, uma pergunta:

E aí, vamos fazer aquele passeio no fim de semana?

Eis a nossa versão do passeio: Tobey pega a rodovia, entra em uma estradinha de terra, para num bar de beira de estrada para comermos alguma coisa e conhecemos a cidadezinha. É uma delícia.

Primeiro me lembro daquele exercício desumano que tenho que resolver para a aula de cálculo e da montanha de tarefas para dar conta no fim de semana. Em seguida, me lembro de que me sinto muito mal quando não vivo essa outra parte da minha vida. Não quero que a vida passe batido por mim. Além disso, é Dia dos Namorados.

Então, escrevo no guardanapo e devolvo para ele:

Vamos sair cedo?

Capítulo 38

Quarto 523: Palavras certas

14 de fevereiro, 18h41

Aluguei um quarto para nós no Short Hills Hilton. Não contei a Sara aonde vamos. Disse apenas que ela não dormiria em casa e teria que dar uma desculpa para passar a noite fora. Sara disse que dormiria na casa de Maggie, e meus pais pensam que estou com Mike. Então ninguém sabe que passaremos a noite juntos pela primeira vez.

Há uma leve probabilidade de Sara me odiar por isso. Na verdade, eu deveria parar na casa de Mike. Mas não parei.

— Não olhe — digo.

— Já estamos chegando? — Sara está inquieta no banco do carro. Seus olhos estão vendados com a única gravata que tenho.

— Chegaremos em dez minutos.

Ela ri.

— Aonde estamos indo? — ela pergunta em tom de falsa súplica.

— Dez minutos; é só o que posso dizer.

Estaciono o carro e pego as mochilas no banco de trás. Dou a volta e abro a porta para Sara. Gostaria de deixá-la com a venda até chegarmos ao quarto, mas não quero alarde pelo fato de ainda estarmos apenas no ensino médio. Já me senti suficientemente ridículo quando fiz a reserva. Vou deixá-la com a venda apenas até a porta de entrada.

Seguro na mão dela enquanto caminhamos.

— Ao menos diga se estou na beira de um abismo — ela pede.

— Por isso eu estou aqui.

Diante da porta, tiro a gravata.

— *AimeuDeus!*

Examino o rosto dela em busca de sinais negativos. Mas só o que vejo é excitação.

— Nós estamos em um hotel — ela diz.

— Só se você quiser.

— Eu quero — ela sorri.

Abro a porta do quarto e digo:

— Primeiro você, *ma chérie.* Como pode ver, ainda estou reformando a cozinha. Desculpe a bagunça. — Sara entra e eu fecho a porta. — Mas a sala está pronta. Ficou o dobro da original.

— Impressionante. — Ela vai até a janela. — Adorei o lugar. — E abre as cortinas.

Fico ao lado dela. Podemos ver as luzes da cidade alguns quilômetros à frente. Isso deixa Sara feliz. Ela me disse que se sente bem num ambiente urbano. Se parece mais com ela. Tenho certeza de que Sara vai adorar a NYU. Espero também estar lá. Só saberei o resultado da minha audição daqui a um mês. Sara me disse que eu tenho que visualizar o resultado, imaginar que estou recebendo a carta de aceitação, ler o texto comprovando que entrei. Só que, quando faço isso, visualizo a carta dizendo que me ferrei, que eles não aceitam vadios reformados como eu, nem que fosse o último candidato do planeta.

Nós pedimos um lanche e assistimos a filmes até meia-noite. Estamos de bom humor, rimos bastante, criamos roteiros alternativos para os personagens dos filmes. Sara já abriu os presentes. Fiz outro CD com todas as músicas de que ela gosta dos novos discos que ouvimos juntos tantas vezes. Dei também o anel de plástico que ganhei no Skee Ball. Pus o anel em uma caixa de joias e ela adorou.

Sara me deu um álbum de recortes. Disse que é para documentar a nossa história. Uma das páginas está cheia de letras de música. Outra tem coisas da aula de teoria musical, como o Jogo dos Pontinhos. Tem também fotos preto e branco de cada um de nós, tiradas para o livro do ano. Sara pede que eu faça algumas páginas e devolva o álbum. Ela faz outras páginas e me devolve, até que o álbum esteja completo. Mike e Josh caçoariam de mim pelo resto da vida se descobrissem uma coisa dessas. Mas eu achei legal.

Quando o filme termina, alguma coisa muda entre nós. Talvez seja a noite que temos pela frente. A possibilidade.

Tento agir naturalmente. Só não quero ser igual a Dave no que diz respeito a sexo.

Nós nos deitamos. Tenho que contar a ela. É agora ou nunca.

Vou começar a falar quando, inesperadamente, Sara sobe em cima de mim. E logo eu a vejo só de calcinha e sutiã. Gostaria muito que tivesse somente isso no meu caminho.

Capítulo 39

Quarto 523: terrível ciúme

15 de fevereiro, 00h41

Não caibo em mim de tanta emoção.

Pensei que passaríamos a noite na casa de Tobey, ou porque seus pais passariam o fim de semana fora ou por qualquer outra razão. Portanto, este quarto de hotel é muito mais do que eu esperava. Estou emocionada porque me sinto tão relaxada, me sinto tão bem aninhada nos braços dele diante da televisão que *tenho* que beijá-lo. Agora estou tirando a calcinha, logo eu que nunca tirei a roupa na frente de um garoto. Mas, se existe uma hora certa para fazer isso, a hora é agora. Era o que eu pretendia fazer naquela tarde em que o pai dele entrou no quarto. É claro que estou nervosa, mas quem não estaria?

De repente, Tobey se afasta de mim. Vai para o seu lado da cama e esconde o rosto nas mãos.

— O que aconteceu? — pergunto.

— É que... Eu tô muito excitado... — Tobey se vira para olhar para mim. — Você me excita demais.

— Mas não é assim que tem que ser?

— É, mas... — Ele pega na minha mão e nossos dedos se cruzam. — Preciso te contar uma coisa. Uma coisa difícil.

— Tudo bem. — Mas não está tudo bem. Fico nervosa e assustada antes mesmo de ele dizer o que quer que eu ouça.

— Eu não sou... Eu...

— Tobey. Seja o que for, tá tudo bem. Fale!

— Eu já transei com outra pessoa.

Ele disse isso mesmo? Não, ele não disse. Tenho pelo menos dez motivos para não ter ouvido isso. Um deles é que ele me disse que nunca havia se sentido assim com mais ninguém. Outro é que nós ainda não transamos. E outro é que não faz sentido que...

— Como assim? — pergunto.

— Hã?

— Como é possível?

Tobey me olha de esguelha e balança a cabeça.

— É tão difícil acreditar que alguém tenha transado comigo?

— Como? Não! Não é isso. É porque você disse... Achei que você tivesse dito que nunca sentiu isso por ninguém até hoje.

— E não senti mesmo.

— Bom... Então... Como foi que você transou com alguém sentindo menos do que isto? — Sinto que vou chorar.

— Não, não é nada disso. Não significou nada para mim — ele diz.

Nunca entendi quando os heróis dos livros e dos filmes dizem que não significou nada quando se referem a transar com alguém. Significa *sim*. O que pode ser mais pessoal, mais íntimo e importante?

— O que você quer dizer?

— Que foi só sexo. Sem nenhum envolvimento emocional — diz Tobey.

— Então por que você transou?

Tobey me olha espantado.

— Ah, tenha dó! Eu sou homem.

— Só porque você é homem tem que transar com qualquer uma?

— Não, agora é diferente. — Ele aperta a minha mão e eu a retiro. — Estou com você agora. Você significa muito para mim.

— Com quantas você transou?

— Uma só.

— Foi só uma vez?

— Não.

— Quantas foram?

— Não sei. Eu já disse que saí com uma garota durante um tempo.

— É, mas esqueceu de dizer que também transava com ela.

Sinto um ciúme terrível crescendo no meu peito, bem ao lado do coração. É tanto que fica difícil respirar. Quero saber quem é. Preciso saber quem é.

— Foi a Cynthia?

Tobey olha para o teto.

— Não.

— Quem foi?

— Você não conhece.

— É da escola?

— Sara!

— É da escola? — Minha voz cresce. Sinto que estou entrando em pânico diante das possibilidades.

— Olha... Essa parte da minha vida não existe mais. Eu só quis ser sincero com você.

Humm... Então é isso. Ele está se sentindo melhor depois de despejar tudo em cima de mim. Me deixando magoada e ciumenta.

Odeio que tenha existido alguém antes de mim.

Vou para o meu lado da cama e me enfio debaixo das cobertas. Sei que não devia estar brava e também sei que ele agiu bem por me contar. Mesmo assim, é difícil acreditar. Sempre imaginei como seria a primeira vez de nós dois. Agora tenho que imaginar como será estar com alguém que já teve a sua primeira vez. Com outra pessoa.

Se não foi Cynthia, quem seria?

Esse é o problema do ciúme. Ele toma conta da gente. E não cede até que você relaxe.

— Ei — Tobey me chama.

Não respondo. Passo o resto da noite do meu lado na cama. Bem longe daquilo que acabarei tendo que aceitar.

Capítulo 40

Tantas coisas

13 de março, 17h25

Estar no quarto de Sara estudando para a avaliação semestral de história já é espantoso. Pior que isso é que eu quero estudar só para estar com ela. Como estamos em meados de março, presumo que o pessoal da Manhattan Music Academy já deva ter chegado a uma conclusão a meu respeito. O que eu fizer daqui para a frente não vai influenciar muito na decisão deles. Mas Sara está me ajudando a manter boas notas. Por mim tudo bem, desde que eu tenha mais intervalos de estudo.

Sara logo superou aquele escândalo sexual. Aos poucos ela voltou a ser carinhosa comigo, abrindo-se um pouco mais a cada dia. Já estamos de volta ao ponto em que paramos naquele fiasco do hotel... Mas ainda não fomos além disso.

Continuo me sentindo mal por ter mentido, mas ela não precisa saber que eu estive com Cynthia. Principalmente porque a reputação de Cynthia não é das melhores. Sara não compreenderia. Além disso, Cynthia me chamou para sair na semana passada. A garota não dá trégua. Sara não sabe, e eu pretendo que continue sem saber. Tive que passar o mês inteiro convencendo-a de que não me importo se a gente não transar. E é verdade. Embora o sexo ocupe grande parte da minha massa encefálica.

Olho disfarçadamente para o relógio. Já estamos estudando há mais de uma hora. Intervalo.

— Ei — digo.

— Ei — Sara responde, sem tirar os olhos do livro.

— Ainda não comemos um lanchinho.

— Quantos anos você tem? Cinco?

— Você sabe que sempre tomo lanche a essa hora.

— Bom, eu não estou com fome. Mas, se você quiser, vá comer alguma coisa.

— Como não está com fome?

— Não estou, só isso.

— Nossa! Bom, então... vamos parar um pouco.

— Não posso.

— Por que não?

— Tobey — Sara deixa a caneta sobre a mesa e volta-se para mim. — Você tem ideia de quanto tempo falta para as provas semestrais?

— Isso quer dizer que a gente não vai mais parar para comer?

— Não com apenas uma hora de estudo.

— Ah, não sabia que nós tínhamos um compromisso.

— Não temos nenhum... — Sara volta a cuidar da pilha de papéis, livros, anotações e toneladas de outras coisas. Se não fizermos alguma coisa mais divertida nos próximos cinco minutos, vou desmaiar.

— Olha, vamos dar um pulo lá no pátio. A gente pode jogar alguma coisa.

— Hã? — Ela está folheando umas páginas.

— Sabe aquela coisa no poste onde você joga a bola dentro e tem aqueles quatro tubos por onde a bola sai? Tubos de cores diferentes!

— Acho que...

— É muito legal. Um jogo emocionante. A gente não sabe por qual tubo a bola vai sair, e o suspense é a melhor parte. Estou indo.

Vamos? Você precisa vir. Me aproximo da cadeira dela e me abaixo.

— Por favor, venha comigo.

Sara suspira.

— Não é uma boa ideia.

— Por quê?

— É irresponsável.

— Irresponsável? — Por que ela não consegue ser mais espontânea? Nunca podemos fazer nada que não esteja previsto em seu cronograma semanal. Ela parece estar toda planejada para o ano que vem. E o que eu estou propondo são experiências de que ela se lembrará para o resto da vida. — Dane-se a responsabilidade! Qual é a sua?

— A minha é ir bem nas provas! A NYU vai levar em conta estas notas.

— Ainda está preocupada com isso? — Sara já está dentro da NYU. Seria um absurdo se não a aceitassem. Mas desde a época da inscrição que ela anda estressada. Parece que não calcularam seus pontos a tempo. Ela ficou arrasada porque fez tudo de que precisava. Agora está apavorada que algo não dê certo. Como se adiantasse preocupar-se com uma coisa que você não tem controle.

— *Você chama de "isso"?* É o meu futuro. É a faculdade que escolhi, Tobey. Você sabe o que significa pra mim.

Eu me levanto, sem saber o que fazer. Devo ir e deixá-la trabalhar? Ou fico aqui e tento melhorar o clima?

— Você anda muito estressada. Quero que relaxe um pouco, só isso.

— Não, o que *você* quer é se sentir melhor, porque não está a fim de estudar. Eu sabia que não estava levando a sério a proposta de se dedicar mais pelo resto do ano.

— Estou levando a sério, sim.

— Então por que quer vadiar de novo?

— Não quero não!

— Fiquei sabendo do seu trabalho de inglês. — Sara cruza os braços.

Era um trabalho de inglês enorme. Eu estava muito cansado e não queria saber de nada. Imaginei que, somando a média de todos os trabalhos que apresentei em classe, poderia tirar B, mas tirei B menos.

— Nós ensaiamos muito naquela semana. A banda ficou parada por um tempo até Josh marcar algumas apresentações. Agora estamos ensaiando diariamente.

— O que vocês pretendem fazer no ano que vem?

— Não estou pensando no futuro. Só me interessa o momento.

— Está esquecendo das suas prioridades.

— A banda é uma delas. Se não ficarmos juntos, posso formar um novo grupo em Nova York e...

— Todo mundo tem banda — Sara aumenta o tom de voz. — Você não vê? Todo mundo quer ser músico, ator ou escritor e ir pra Nova York. Sinto muito lhe dizer, mas não existem muitas oportunidades de emprego para artistas iniciantes. A menos que você queira ser garçom.

— Você não me acha bom?

— É claro que eu acho. Mas não importa o que eu penso. Importa o que as pessoas certas pensam. E elas estão cansadas de todos que querem o mesmo que você.

— Eu sei que a escola é importante para você.

— E é mesmo.

— A música é a mesma coisa para mim. Eu também tenho meus sonhos, Sara. Só porque eles são diferentes dos seus não são menos importantes.

— Não é isso que eu estou dizendo. Mas a faculdade tem que ser a sua prioridade. A partir dela tudo pode acontecer.

— Exatamente. Já sei o que vai acontecer comigo.

— *AimeuDeus*! — Ela se levanta da cadeira e anda pelo quarto. Os fios da sua luminária de fibra óptica balançam pra lá e prá cá, vermelho misturando com roxo, misturando com azul, misturando com...

— Por que você faz isso consigo mesmo?

— Faz o quê?

— Você é muito mais do que está se permitindo ser.

— E a vida é muito maior do que você está vivendo.

— Não diga isso. Você tá... Se você estragar tudo agora, sabe onde estará quando tiver 30 anos?

— Onde?

— Fritando batatas.

— E daí? O que há de errado em trabalhar no McDonald's?

No mesmo instante percebi que tinha falado uma besteira. Infelizmente ainda não inventaram uma tecla *delete* para argumentos infelizes.

— Se você não entende que está errado, não sou eu quem vai conseguir explicar. — Sara sai do quarto e entra no banheiro, batendo a porta.

O que eu faço? Fico? Saio? Não vamos mais conseguir estudar, e ela está muito zangada. Se eu sair, ela vai achar que estou louco da vida e ficar ainda mais zangada. Estou mesmo enfurecido. Mas ela tem razão em algumas coisas. Seja como for, eu perdi. Sento-me na cama dela. E espero para ver o que Sara fará.

Capítulo 41

Nada de bom

17 de março, 15h47

Ainda tento me acostumar com a ideia de que outra garota foi para a cama com Tobey antes de mim. E me acostumar com a ideia de que a primeira vez de Tobey não foi comigo. Mas não consigo aceitar que ele não me diga quem foi. Ou qualquer coisa sobre ela. Tobey nega, mas não consigo deixar de pensar que tenha sido Cynthia.

Tobey me espera ao lado do meu armário enquanto guardo as coisas na mochila. Quero perguntar outra vez a ele, mas não quero bancar a ciumenta nem que ele pense que desconfio dele.

Fecho a porta do armário e então a vejo.

É Cynthia. Vindo em nossa direção.

Espero para ver como Tobey reage, e não há nada de anormal.

— Oi, Tobey — diz Cynthia. Como se eu não estivesse presente.

— Oi.

— Tudo bem? — Ela nem olha para mim.

Tobey não está gostando disso.

— Tudo. Olha, a gente tá...

— Tobey, lembra quando a gente saiu de caiaque? Não faz mais ou menos um ano?

— Por quê?

— É que eu me lembrei disso...

Eles se olham. O olhar dura apenas um segundo, mas noto uma concordância de ambas as partes.

— Legal, mas... A gente tem que ir.

— Não seja tão frio. Você não era assim antes — ela provoca.

Agora eu sei o que significa sentir o sangue ferver.

— O que está acontecendo aqui?

— Bobeira dela. — Ele deixa bem claro que não está se importando.

— O que aconteceu no ano passado?

— Nada.

— Fala a verdade — digo. — Você transou com ela? Num caiaque?

Tobey olha para o outro lado.

— Você quer mesmo falar sobre isso aqui no saguão?

Isso é besteira, porque Tobey é a última pessoa que se importa com o que os outros pensam.

— Você transou com ela ou não transou?

Tobey suspira. Estende o braço para pegar na minha mão, mas eu recuo.

— E aí? — insisto.

A resposta está no olhar dele.

— Foram só algumas vezes... Sim, a gente transou.

Então *foi* Cynthia. Imediatamente me sinto mal. É a pior de todas. Todo mundo sabe que ela transa desde os 14 anos. Mas é bonita, é sexy e todos os garotos fazem qualquer coisa para sair com ela. Eu não sou páreo para Cynthia.

— Mas você disse...

— Eu sei o que eu disse. Desculpe por ter mentido. — Tobey tenta pegar minha mão outra vez e novamente eu tiro. — Não queria magoar você. Sei o que você pensa sobre a Cynthia.

— Então, por que disse que não era ela?

— Achei que você não entenderia. Eu...

— Aquelas músicas eram pra ela? Ela não presta!

— Você leu as minhas músicas? — Tobey pergunta.

Tudo bem. Ele mentiu e eu bisbilhotei. Mas não existe comparação.

— Você disse que sentia aquelas coisas por mim.

— E sentia mesmo. Só que agora é diferente. Aquilo era o que eu estava vivendo. — Tobey procura novamente a minha mão e não encontra. — Tudo que eu disse a você é verdade, Sara. Cynthia não significou nada para mim.

— Não entendo como você pode transar com alguém que não significa nada para você.

— É diferente para nós, homens.

— Ah! Então comigo deve ser a mesma coisa? Apenas sexo?

— É claro que não. Você...

— Sabe de uma coisa? — Estou tão zangada que mudei de ideia. — Não me diga mais nada.

Vou andando na frente dele. Não é possível que Tobey seja como todos os outros, que se encantam por qualquer uma. Pensei que ele fosse diferente. Mas me enganei. É apenas mais um.

Chego em casa e ponho o CD da Sade para tocar *By Your Side* no modo repetir. E choro muito. O telefone toca; espero que seja ele.

— Sou eu — Tobey diz. — Podemos conversar?

— Tudo bem. Fale.

— Desculpe.

Espero mais. Isso não basta.

— Alô?

— Sim?

— Desculpe.

— Parabéns.

— Por que você está tão zangada?

Acho que Tobey deveria saber como me sinto. Afinal, ele já me conhece bem. Não tenho vontade de dar explicações. Estou com ciúme, sim, e sei que é bobagem ficar zangada pelo que ele viveu antes de me conhecer. É muito mais que isso.

— Não posso falar com você agora — digo.

— Posso ligar mais tarde?

— É melhor não. — Se a gente conversar agora, vou dizer coisas de que depois posso me arrepender. Estou muito zangada. — Preciso de espaço.

— O quê?

— Quero ficar um pouco sozinha. Para pensar.

Tobey fica em silêncio. Posso ouvi-lo respirar.

— Como assim precisa de espaço? — ele insiste.

— Preciso de espaço.

— Por quê? Espaço de mim? Por quê?

— Apenas preciso.

— Você está... Você não está me dispensando, está?

— Não.

— Tem certeza?

— Tenho.

Preciso ter certeza de que ele nunca mais mentirá para mim. Se ele souber que eu posso deixá-lo, talvez se dê conta de que isso pode acontecer. E nunca mais vai esconder qualquer coisa de mim.

No dia seguinte, quando estamos fazendo fotogravuras na aula de arte, deixo o material de lado e releio a minha lista de pontos positivos:

Razões para Ficar com Tobey

Eu o amo.

Ele ainda é minha alma gêmea.

Ele me excita.

Ele me faz sentir viva.

Tudo o que fazemos juntos é novo. Até coisas banais, como assistir tevê.

E há outra lista que estou tentando fazer:

Razões para Não Ficar com Tobey

Ele mentiu para mim.

Não consigo pensar em outra coisa. Lapsos ocasionais de memória não são motivos de preocupação. Decido conversar com o sr. Slater. Qualquer hora dessas ele começará a cobrar por essas consultas sentimentais.

Ergo a mão.

O sr. Slater pergunta:

— Problemas com a gravura?

— Estou fazendo outra coisa.

— Ah. Ele se senta ao meu lado.

Eu passo o papel para ele.

— Hummm... Interessante.

— Acha mesmo?

— Acho.

— O que é tão interessante?

— Essas listas são inúteis.

— Elas me ajudam a organizar o meu pensamento.

— Sim, mas desta você não precisava. Você sempre soube o que queria antes de começar.

— Como o senhor sabe?

O sr. Slater pega uma caneta roxa e faz um círculo em torno do item 2 da segunda lista, que não está preenchido.

— Aqui está.

Ele tem razão. Não há mais nada nesta lista porque simplesmente não há nada a acrescentar.

Chego da escola, visto o pijama felpudo e fico na frente da tevê pensando se ligo ou não para Tobey. Eu pedi um tempo. Então sou eu quem deve comunicar que o tempo se esgotou. Já estou morrendo de saudade dele. Mas seria muito mais romântico se ele me ligasse pedindo para voltar. E eu ainda continuasse zangada.

Tudo bem. Se eu clicar em três canais e em todos estiver passando comercial, é sinal que devo ligar para Tobey.

Clique-clique-clique.

O Frugal Gourmet está fazendo uma coisa muito estranha com migalhas de pão.

Tudo bem. Se eu clicar na HBO e estiver passando um filme bom, é sinal para ligar pro Tobey.

Legalmente Loira 2. Adorei o primeiro, mas este não tem graça.

Tudo bem. Se o motor da geladeira ligar em cinco minutos, eu vou ligar para Tobey.

Espero 15 minutos para ouvir o motor da geladeira — um barulho maçante que interfere no que estou fazendo quando mais preciso de silêncio — e vou tomar um banho. Se o telefone tocar enquanto estou no chuveiro, o universo está tramando para que fiquemos juntos.

Mas o telefone não toca.

Capítulo 42

Espaço

22 de março, 12h33

É HORA DO ALMOÇO, mas não estamos na lanchonete. Estou no ginásio com Mike encestando bolas. Desde que Sara me disse que precisava de espaço, não tenho tido exatamente o que se possa chamar de um apetite animal. Todo mundo sabe que precisar de espaço é, digamos, o beijo de misericórdia.

— Vocês ainda estão brigados? — Mike pergunta.

— Estamos.

Mike me passa a bola. — Cara, não queria estar na tua pele.

— Nem diga.

— Ela deve estar esperando você pedir desculpas.

— Eu já tentei. — Bato a bola no chão. — Não funcionou. Pisei na bola. Como eu pude ser tão burro? Por que não contei logo sobre a Cynthia?

Nem percebi que estava tão revoltado. De repente, fico tão furioso que atiro a bola contra o painel.

— Odeio quando as garotas forçam a barra desse jeito. Você já disse que se arrependeu. O que mais ela quer?

— Se eu soubesse...

— Não vai ser legal se ela terminar com você.

Não é de hoje que isso está me preocupando. E ouvir do meu melhor amigo me faz sentir ainda pior.

— Passa a bola.

Eu atiro a bola com tanta força que Mike quase cai para trás.

— Ei! — ele berra. — Qual é o seu problema?

— O *meu* problema? Meu problema é que você devia estar do meu lado. Mas por alguma razão que eu desconheço resolveu bancar o traíra.

— Pô, eu só tô...

— Acha que eu já não pensei nisso? — Passo a mão pelo cabelo. — Ela disse que precisa de espaço.

— Tudo bem. Sinto muito, cara.

Eu bato a bola no chão.

— A gente nunca vai entender as mulheres — Mike diz. — Elas são muito complicadas. São muitas as variáveis que a gente tem que considerar. TPM, o dia em que o cabelo está ruim, o humor mudando a cada instante...

Dou um suspiro profundo.

— Sinto dizer — Mike continua —, mas desta vez o guru não tem nada a dizer.

Se você procurar no dicionário por "desespero", vai encontrar uma descrição de como eu me sinto. Deitado na minha cama. Olhando para o teto. Pensando no que fazer.

Não consigo comer. É absolutamente impossível me concentrar em qualquer coisa. Nem mesmo escrever música. A banda é a única coisa que tem me impedido de ligar para Sara.

Estendo a mão para pegar o telefone. Digito o número.

Desligo o telefone.

Se eu ligar, vou desrespeitar a necessidade dela de ter um tempo. Ela diz que precisa de espaço e eu ligo? Não está certo.

Mas, se eu não ligar, ela vai pensar que não estou me importando. Tenho que ligar.

A secretária eletrônica atende, eu quase desligo. Mas então começo a falar.

— Oi, sou eu. Você me disse que precisa de mais espaço, eu respeito isso, mas também quero que você saiba que estou com saudade. Muita. E estou arrependido de ter mentido pra você, mas eu não queria te magoar e por isso fiz tudo errado. Juro que isso nunca mais vai acontecer. Quando você disse que precisava de espaço eu deveria ter dito tudo isso, e só queria dizer que te amo...

Desligo o telefone. Estou suando.

Então tenho uma ideia. Pego dois CDs e o meu microsystem.

Quase desloco o joelho quando desço correndo as escadas. Abro a porta e saio pela noite.

Capítulo 43

Um tempo

22 de março, 20h18

Acabo de ouvir o recado de Tobey. Ele disse que me ama. É a terceira vez que ele diz isso. O que é meio estranho, porque Tobey é a pessoa mais sensível que conheço. Eu sempre achei que, quando ele dizia isso, era porque estava sendo sincero, e era muito importante para ele. Sinto um frio no estômago. Quero ligar pra ele, mas, se eu disse que preciso de espaço, foi por alguma razão.

Levanto e abro um pouco a janela. O ar frio me acalma.

Volto pra cama e fico olhando para o teto. Penso em como será morar em Nova York. Talvez com Tobey.

E então eu ouço.

A princípio, não sei o que é. Parece que o vizinho está ouvindo música. Mas então reconheço a música e sei de onde ela vem.

Levanto de novo e vou olhar o jardim. E lá está Tobey. Segurando o microsystem sobre a cabeça. Tocando uma música que fala da luz e da intensidade do meu olhar.

Abro a janela e fico olhando para ele. Tobey deve ser o único cara que se lembra de todos os detalhes da vida da namorada. Não só se lembra da minha cena de filme favorita como a conhece o suficiente para fazer o que está fazendo. E está fazendo isso porque também sabe que ao longo de todo o inverno eu esperei a primavera, e hoje é o equinócio da primavera.

Como sempre, minha mãe está ocupada com Howard. Nem vai notar se Tobey entrar pela minha janela.

Eu o abraço com toda a força. Ele me abraça também. E tira uma caixa de dentro do casaco.

— Presente número 1 — ele diz.

É uma lâmpada azul, como a que tem no quarto dele. Como aquela letra do John Mayer que fala das luzes azuis na noite escura, de como elas nos fazem bem.

— Eu tinha uma guardada. — Tobey desenrosca a lâmpada amarela do meu abajur e põe a azul. Meu quarto fica inteiro azulado. Agora está como o quarto dele.

Tobey tira o casaco e o suéter.

— Eu trouxe este Dave Matthews de que eu te falei. — Ele põe o CD no meu som. — Quero que você ouça uma música.

— Qual delas?

— *Say Goodbye.*

— Eu amo essa música!

Tobey me enlaça a cintura com uma das mãos e a outra ele estende para pegar a minha.

— Espere até ouvir ao vivo.

Dançamos sob a luz azul. E nos beijamos sob a luz azul. E tiramos a roupa sob a luz azul. O tempo desaparece...

Então me lembro de que já visualizei essa cena, exatamente como está acontecendo agora, ainda em outubro. É evidente que o universo decidiu que pertencemos um ao outro.

Todas as razões pelas quais pertencemos um ao outro estão presentes. E, neste momento, eu o perdoo. Sei que nunca mais ele mentirá para mim.

Tobey tira a camiseta e por baixo tem uma regata. Ele fica de jeans e regata. Estou de sutiã e calcinha. O universo me impediu de vestir uma calcinha velha quando saí do banho. Agora sei por quê.

Neste novo mundo onde tudo é possível e os sonhos se realizam, nós dois dançamos. E, quando chegamos àquele ponto do qual não há mais retorno, e que tanto me assustava, hoje não me assusta mais.

Permito que ele me leve para onde quiser.

Capítulo 44

Informação quente – parte 1

23 de março, 16h09

— Percebeu que o Tobey está muito feliz hoje? — Josh pergunta a Mike.

— Percebi, sim. Não vai contar pra gente, cara?

Estamos trabalhando em algumas letras novas aqui no Jim's, mas até agora não concluímos nenhuma. O Jim não é uma pessoa. É a cafeteria do momento. Eles servem um café mais forte e você pode ficar na mesa o tempo que quiser, mesmo que já tenha terminado o seu café e seja óbvio que não pedirá nada tão cedo.

— Na verdade, não. — Tento disfarçar um sorriso.

— Ele tá sorrindo? — Josh pergunta.

— Parece que sim.

Eles me olham fixamente.

— Que foi?

Josh dá uma piscada para Mike.

— O que aconteceu ontem à noite? — Mike insiste.

— Não aconteceu nada.

— Vocês voltaram? — Josh arrisca.

— Voltamos. — Desta vez não disfarço o sorriso.

Mike volta-se para Josh.

— Nosso amigo aqui tá escondendo alguma informação importante. O que seria?

— Não tenho a menor ideia — diz Josh.

— Desistam. Não vou contar.

Josh vai começar a me pressionar, mas as duas garotas das quais ele não consegue afastar os olhos desde que chegamos aqui se levantam para ir embora. Quando elas passam por nós, ele diz:

— Tudo bem, meninas?

As meninas nem olham para ele.

Josh encosta na cadeira e estica os braços sobre a cabeça.

— Ah, elas são loucas por mim.

— E então — Mike continua —, finalmente vocês...

— Como anda a sua história com a Maggie? — pergunto a Josh.

— Vou convidá-la pra sair amanhã. Não... Vou convidar agora! — Ele pega o celular e aperta as teclas.

— Uau! Quando foi que você resolveu fazer isso? — Mike diz.

— Foi agora. Com esse clima... A música vai ficar demais.

— Vamos criar! — grita Mike. Ele sempre diz isso quando tem uma ideia para uma música.

Faço clique com a minha caneta.

— Vamos lá.

Josh desliga o celular depois de ouvir por um tempo.

— Mensagem de voz.

— Ok — Mike começa. — Você vê a garota do outro lado da sala, ou no clube, ou em qualquer lugar; vocês não se conhecem, mas ela te olha daquele jeito e você sabe que precisa se aproximar... sem ter nem por quê...

— É isso aí — diz Josh. — É como um ímã, e então ela...

Eles contam a história e eu anoto. Talvez nem saibam que estão contando a minha própria história. Mas não tem importância. Finalmente, Sara e eu temos uma história para contar a quem quiser ouvir.

Capítulo 45

Informação quente – parte 2

23 de março, 16h09

— Você está querendo dizer que não vai sair com ninguém durante um ano? — pergunto em voz baixa.

— Não — Maggie sussurra. — Estou dizendo que *nunca mais* vou sair com ninguém. Nunca mais na vida. Pra quê? Nunca dá certo.

Estamos estudando na biblioteca. Como não tenho tido tempo de conversar com Laila e Maggie a qualquer hora, elas ainda não sabem o que aconteceu ontem à noite. Eu ia contar quando chegamos aqui, mas Maggie começou a falar sem parar. O motivo dessa atitude fatalista é que os pais dela já deram entrada nos papéis do divórcio e ela está muito mal. Perdeu qualquer esperança de que a situação mude.

— É que você está saindo com os caras errados. — Eu trago a cadeira para perto da mesa. — Mas vai acabar encontrando alguém.

Laila inclina-se sobre a mesa e se aproxima de nós.

— Também pode ser um encontro arranjado.

— Como assim? Tipo encontro às cegas?

— Não, tipo casamento arranjado.

— Onde é que você pensa que estamos? Em Beirute?

— Outro dia eu descobri uma coisa engraçada e ao mesmo tempo muito incômoda. — Laila faz sinal para que nos aproximemos. E sussurra: — Meus pais ainda transam.

— Não diga — comento. Meu espanto seria menor se Jake Gyllenhaal saísse de trás de uma prateleira e me convidasse para sair. Há muitos anos que Laila comenta sobre o celibato de seus pais.

— Infelizmente. Lembram que eu ia dormir com vocês na casa da Sara, sábado passado? Bom, eles pensaram que eu não estava lá, mas eu estava no meu quarto estudando. Eles foram para a cozinha tomar café e eu ouvi tudo.

— *AimeuDeus*! — Maggie exclama em voz alta. As garotas da mesa ao lado olham irritadas para nós. — Eles transaram na cozinha?

— Ei, claro que não! Depois foram para o quarto deles.

— Que horror! — digo.

— Uau! — Maggie exclama.

— Pois é. Fiquei arrasada. Nunca me senti tão ofendida. Por favor, vamos mudar de assunto.

— Ei. — Volto-me para Maggie. — Tentei ligar pra você ontem à noite, mas...

— Ah, desculpe. Eu estava no Messenger com o Josh.

— O quê? Desde quando?

— Ora, desde que ele começou a me mandar mensagens.

— Eu sabia. — Laila abre o livro de cálculo. — Você gosta dele.

— Será que você ouviu o que eu disse? Acabei de dizer que não vou mais sair com ninguém. Hello!

— Isso é o que você diz... — Laila começa a resolver um exercício em seu caderno.

Eu arrisco uma pergunta:

— Você... gosta do Josh?

Maggie abre o caderno.

— Eu sinto... alguma coisa. Não sei o que é. Mas a gente é só amigo.

— Por enquanto — diz Laila.

— É que ele sabe o que é um divórcio. Os pais dele são divorciados já faz tempo.

— Hummm.

Maggie desiste. É impossível argumentar com Laila. Especialmente quando sabemos que ela tem razão. Mesmo que não queiramos admitir.

O celular de Maggie toca. As garotas olham feio outra vez.

— Desculpe! — Maggie sussurra entre os dentes. Ela vê quem está ligando e desliga o celular.

— Quem era? — pergunto.

— O Jake. Perguntou se este fim de semana é bom pra você.

— Nossa, ele já sabe que vou sair com o Marshall.

— Que Marshall? — Laila pergunta.

— Ei! — respondo em voz baixa. — Ou com o Mathers!

Ela ainda não entende.

— Ou com o Eminem!

— Ah, tá — diz Laila. — Claro!

— Falando sério! Quem era? — pergunto a Maggie.

Maggie segura a caneta.

— Hummm... Era o Josh.

— Ah! — Laila dá um salto na cadeira. — Confesse! Vocês dois se encontram secretamente desde o primeiro ano e agora planejam fugir para o México.

— De jeito nenhum — digo. — Nós queremos ir ao casamento de vocês.

Maggie continua escrevendo em seu caderno como se não estivéssemos presentes.

Nós três nos concentramos no trabalho. Mas não por muito tempo. Preciso contar a elas.

— Gente... — sussurro.

Laila continua trabalhando. Maggie ergue a cabeça.

— Aconteceu uma coisa ontem à noite.

Laila para imediatamene.

— O quê?

— Bom... O Tobey apareceu... e nós...

— *AimeuDeus*! Eu sabia! — diz Maggie.

— Vocês o quê? — Laila insiste.

— Comece do princípio. E não deixe de contar nada.

É exatamente o que pretendo fazer.

Capítulo 46

Noite alta

23 de abril, 12h32

Josh vem correndo para a nossa mesa e joga a mochila no banco.

— Entrei na Rutgers! — ele diz, animado.

— Gênio! — Ergo a mão e bato na palma da mão dele.

— Era a sua primeira opção? — Sara pergunta.

— Não, a segunda. Mas nunca imaginei que fossem me aceitar.

— Então todos vocês vão ficar em Nova York — Maggie lembra.

— Ainda não sei ao certo — Sara observa. — E não azara, não.

Procuro convencer Sara de que vai dar tudo certo com a NYU. Em geral ela é uma pessoa positiva, com toda aquela história de visualização e tal, mas ultimamente tem andado preocupada. Ela teme que alguma coisa dê errado.

— A gente vai ficar por perto — Mike diz a ela. — A New School é praticamente do lado da NYU.

— E a Manhattan Academy está a três estações do metrô. Recebi minha carta de aceitação na semana passada. Meus pais ainda estão rindo à toa.

Agora que tudo se concretizou, estou gostando da escola. E não é só para impressionar Sara ou meu pai. Estou gostando por mim mesmo.

Mike pergunta a Laila:

— Você está feliz com a Penn? — Faz tempo que Laila recebeu a sua carta de aceitação, porque tinha se decidido antes de qualquer um de nós.

— Ah, sim, eu acho Yale um pouco pretensiosa.

Dou risada. Laila é um barato.

— E você? — Mike pergunta a Maggie.

— Ah, ainda estou esperando resposta da Flórida. Ou da Califórnia.

Josh sai da fila do lanche trazendo um pedaço enorme de bolo de chocolate.

— Hoje tem bolo! — anuncia.

— Estou vendo! — Laila comenta.

— Mas tá bom? — Maggie faz uma careta.

— Vamos ver — Josh tira o invólucro de plástico. Tem um pouco de cobertura grudada no plástico. Ele passa o dedo e prova. — A cobertura é boa. — Ele oferece bolo para Maggie, mas ela recusa.

— Trate de prestar mais atenção nesse seu fetiche por bolo — Mike diz a ele. — Vai acabar engordando. Ouvi dizer que a lanchonete da Rutgers é ótima.

— Quer um pedaço? — pergunto a Sara.

— Quero, mas só se você for buscar.

— Eu vou. Quero pegar mais chá.

Enquanto estou na fila, examino a seção de bolos para escolher o pedaço com mais cobertura. São pequenas coisas que fazem Sara feliz.

Depois da aula, Mike, Josh e eu viemos para a nossa velha casa na árvore. Tínhamos encontros importantíssimos aqui para falar dos CDs que faltavam nas nossas coleções ou das garotas que já usavam sutiã.

O espaço me parecia bem maior do que é hoje.

— Como foi que você se lembrou deste lugar? — pergunto.

— Cara! — Mike está dentro do compartimento secreto. — Encontrei a minha lousa mágica! Que demais!

Tento me equilibrar sobre um tronco que serve de banco.

— Acho que cresci muito; não caibo mais aqui.

— Para com isso. — diz Josh.

Sento-me em um banco que é muito mais velho que eu.

— Então, qual é a novidade com a Maggie?

— Não sei. A gente só saiu duas vezes. Acho que ela tá me evitando.

— Não diga! — Mike sacode a lousa mágica.

— E se... — Josh vai até a janelinha.

— E se o quê?

— Não, é que... E se eu me abrir com a Maggie e ela não quiser nada comigo?

— Você vai ter que correr o risco. Se eu não tivesse corrido, não estaria com a Sara. Nunca achei que fosse dar certo. Mas decidi. Vai lá, homem, aconteça o que acontecer.

— Sabe de uma coisa? Vou ligar pra ela. — Josh pega o celular. — Vou dizer tudo o que estou sentindo. Eu sou um cara legal.

— Espere um pouco — Mike interrompe. — Vamos pensar antes no que você vai dizer.

Josh olha pra mim. Eu olho para ele.

— *Que foi?* — diz Mike.

A porta da garagem está aberta e a luz, acesa.

— Quando sua mãe volta? — Josh pergunta.

— Mais tarde. Temos tempo.

Decidimos na casa da árvore que a banda ficará suspensa temporariamente. Mais adiante a gente voltará a se reunir pra dar uma canja ou só pra não perder a mão. Finalmente eu aceitei que não seria prático continuar como se houvesse algum plano para o futuro. Então nos reunimos hoje para tocar pela última vez.

— Desde o início — diz Mike.

Tocamos uma música antiga do Bob Seger chamada *Night Moves*. Tem tudo a ver conosco, porque as partes da guitarra, do baixo e da bateria são igualmente fortes. A letra fala de ser jovem, ser livre e sair no nosso carro com a garota que a gente ama. É só o que interessa nesta vida.

Capítulo 47

Rumo ao desconhecido

24 de abril, 16h25

Tecnicamente não é espionagem espiar pela janela do seu vizinho — ver o que está acontecendo lá dentro — se ele nunca fecha a cortina. Tenha dó! Quem não quer olhar? Mas neste caso eu tenho as minhas razões. Estou sentada no quintal de casa desenhando no meu caderno. Meus vizinhos têm as melhores janelas das redondezas. Elas têm um pequeno trinco do lado de dentro; basta girar para abri-las ou fechá-las. Gostaria de ter descoberto isso antes.

Adoro a primavera. E a expectativa do que ainda está para acontecer.

Troco o bastão de carvão por outro mais fino. Desenhar o ângulo entre o batente da janela e a folha aberta da janela é mais difícil do que parece.

Minha mãe deixa um envelope ao meu lado e volta para dentro de casa. Não quero ser perturbada. Estou me preparando para o futuro.

— Carta pra você — ela avisa.

— Arram.

Vejo então que é um catálogo, a carta da garota com quem me correspondo em um acampamento de refugiados e alguma coisa da NYU...

— *AimeuDeus*!

Chegou!

Seguro com força o envelope da NYU e fico olhando para ele, esperando por uma mensagem telepática. É um envelope grosso. Bom sinal. Ergo o envelope contra o sol. Não consigo ver nada. É claro que não. É grosso demais! Preciso abrir. Não aguento mais esperar. Mas não posso fazer isso sozinha.

Minha mãe está na sala.

Vou para meu quarto e fecho a porta. Pego o telefone.

— Alô?

— Chegou — digo.

— Você abriu?

— Não consigo.

— Tem que abrir — diz Laila.

— Eu sei.

— É grosso?

— É.

— Pronto! Você entrou! Abra!

— Tá bem. Respiro fundo.

Passo o dedo sob a aba do envelope e vou rasgando devagar. Olho dentro.

— E aí? — Laila pergunta.

— Ainda não abri.

— Você está dentro. Claro que está.

— Agora estou tirando a carta. E suando mais do que se tivesse corrido dois quilômetros.

— Tirou? — Laila grita.

Corro os olhos pela primeira frase da carta.

— Entrei! — Meus olhos se enchem de lágrimas. — Entrei!

— Parabéns! Mas é claro que você ia entrar!

— *Yes!* — Saio pulando pelo quarto.

— Você está predestinada ao sucesso, amiga.

Sento na cama para recuperar o fôlego.

— Se não aceitassem você, estariam cometendo um erro grave.

— Nem acredito!

— Por quê? Você merece!

— Não, é que... Está tudo dando certo.

— Não enquanto tivermos aula de cálculo pela frente — Laila reclama. — Viu o tamanho da lição de casa?

— Eu vi — digo.

Mas isso não me incomoda mais. Já tenho a minha faculdade. Agora o colégio é oficialmente irrelevante.

Tobey vai chegar dentro de meia hora. Nós vamos sair para comemorar. É claro que não tenho nada para vestir. Vou precisar de tempo para encontrar alguma coisa que sirva. Penso em roubar aquela frente única da minha mãe de que eu gosto tanto, mas ela vai me ver sair.

Abro a porta do quarto e dou de cara com minha mãe.

— Você ouviu? — pergunto.

— Não.

— Bom... Acabo de saber que estou dentro da NYU.

— É mesmo?

— É.

E então uma coisa muito estranha acontece.

Minha mãe me abraça.

Tudo bem, não é um desses abraços calorosos que a gente costuma dar quando se despede dos amigos no acampamento, mas é um bom abraço. Ao menos ela está se esforçando.

— Tobey vem me buscar pra gente sair e eu não tenho o que vestir...

— Quer provar isto? — Minha mãe abre o armário dela e pega a frente única. — Você gostou tanto quando eu comprei, não gostou?

— Gostei.

— Eu te empresto — ela oferece.

— Obrigada. — Termino de me arrumar no meu quarto ouvindo *If You Leave me Now*, do Chicago. É uma música muito romântica, assim como estou me sentindo. E estou me sentindo muito bem. Finalmente consigo acreditar que as coisas podem dar muito certo. É claro que não tudo, e não como a gente imaginou que seria. Mas, quando você menos espera, a vida pode surpreender.

Capítulo 48

Encerrando um ciclo

15 de junho, 17h10

— Quem foi o sádico que inventou este chapéu?

Josh briga para que o seu capelo, o chapéu da formatura, se mantenha no lugar. Ele tentou fixar com gel, mas não deu muito certo.

— Foi alguém que nunca terminou o ensino médio — diz Mike.

Estou sentado numa fileira atrás de Mike e Josh porque sou mais alto. Faz um calor de matar aqui no campo de futebol. Quem inventou esses chapéus ridículos esqueceu de usar um material que deixe o ar circular.

Olho para o lado das meninas em busca de Sara. Ela está concentrada no discurso de Laila, que é um pouco mais interessante que os outros discursos que estão sendo feitos há umas quinze horas. Laila foi a escolhida para fazer o discurso de despedida por uma diferença de pontos microscópica. Estão dizendo que Michelle tentou se matar com tylenol quando soube que faria apenas o discurso de saudação.

Começam a chamar os nossos nomes, e eu fico aliviado que já esteja terminando.

— Sara Tyler!

Todos aplaudem. Eu também, claro. Ela se dirige para o palco usando seu cordão com as cores da escola. Ela disse que o cordão parecia um puxador de cortina. Eu a vejo receber seu diploma, e as imagens passam diante de mim como em sonho. O baile de formatura, o almoço de despedida, a cerimônia de premiação... Tudo isso já passou. De repente, sinto uma certa opressão. Talvez seja apenas cansaço. Ou talvez seja o calor.

Eu espero ser chamado. Serei o próximo.

— Tobey Beller!

Recebo menos aplausos, mas tudo bem. O que importa é que terminou.

Recebo o meu diploma e atravesso o palco apertando as mãos. Ao descer a escada do outro lado, vejo que o sr. Hornby está sentado ao lado da sra. Everman. Eles estão sorrindo para mim. Pela primeira vez me sinto diferente. Sinto-me orgulhoso que eles tenham orgulho de mim. Sinto-me orgulhoso que tanto trabalho tenha valido a pena.

Quando a cerimônia termina, os pais passeiam pelo gramado cumprimentando e tirando fotos. Nosso grupo está mais afastado.

— Não vejo a hora de ir para casa e tomar uma chuveirada fria — diz Maggie.

— A melhor parte de tudo isso é saber que nunca mais terei aula de ginástica — Sara acrescenta.

— E nunca mais teremos que suportar as gravatas do sr. Carver — Laila completa.

— Cara, que gravatas são aquelas? — Josh exclama.

— Pois é — Maggie concorda. — As pessoas gostam de cada coisa... O gosto é uma herança genética?

— Cite uma influência que faria alguém gostar de uma coisa daquelas.

— Trauma de infância? — proponho.

— Fala sério — diz Maggie. — Nem em 1947 se usava aquilo.

Vou sentir falta disso. Até que enfim tenho uma boa turma de amigos além de Mike e Josh, e já vai se desfazer.

A mãe de Sara se aproxima. Abanando-se com o programa.

— Sara — ela diz. — Bom... Parabéns... — Ela abraça a filha.

— Obrigada, mãe. — Ela está constrangida. Acho que eu também ficaria se a minha mãe não soubesse o que me dizer num momento como este.

Nós continuamos ali, procurando nos proteger do sol quente.

Então nossos pais começam a se aproximar, e é uma profusão de abraços, beijos e fotos.

Meu pai me dá uma caixinha embrulhada em papel dourado.

— Parabéns, Tobey. Estou orgulhoso de você.

Minha mãe enxuga os olhos com um lenço de papel.

Abro a caixa. É um relógio de pulso que parece muito caro.

— Pertenceu ao seu bisavô.

Sou tomado novamente por aquele sentimento de que tudo é um exagero quando nada tem muita importância. Não sei o que acontece comigo.

— Obrigado — digo a eles.

Minha mãe ainda soluça.

Olho as pessoas que estão em volta. Parece que metade delas é parente de Laila. Estão reunidas em volta dela, esperando a vez de posar ao seu lado para uma fotografia. Mike e Josh estão com suas famílias e parecem felizes. Josh pula como um maluco, fazendo poses e caretas para a câmera. Maggie está conversando com a mãe, mas não vejo o pai dela em lugar nenhum. E a mãe de Sara está conversando com alguns pais, mas de vez em quando parece buscar alguém. Sara está triste.

— Pai? — chamo.

— Sim?

— Preciso falar com a Sara, tudo bem?

— Claro.

Meus pais adoram Sara. Acham que é a melhor coisa que poderia ter me acontecido. Eu tive medo de que eles não a aceitassem depois que meu pai nos pegou em meu quarto, mas parece que foi tudo esquecido depois que entrei na MMA.

Sara vê que estou me aproximando e sorri.

Meus pais querem jantar fora comigo. Os outros pais também irão com seus filhos. Menos Sara.

— Oi — digo.

— Oi.

Olho para a mãe dela. Só conversamos umas poucas vezes. Ela sabe que sou namorado de Sara, mas nunca fez nada para me conhecer melhor. Ela é muito estranha.

— Oi, Tobey — a mãe dela diz. — Parabéns e tal...

— Obrigado. Hum... Será que a Sara poderia jantar comigo e meus pais hoje à noite?

— Que convite ótimo — ela diz.

— Que bom. Bem, então... Tchau. — Pego na mão de Sara e a levo comigo. Lembro-me de que não perguntei aos meus pais se podia convidá-la. Mas sei que tudo bem.

— Se você não me resgatasse agora, não sei o que seria.

— O que mais eu poderia fazer?

— Você é o meu herói.

— Estou aqui para servi-la — digo.

Ver pela última vez todas aquelas pessoas que cresceram comigo, sair da escola para nunca mais voltar... é mesmo uma coisa muito estranha. Mas, finalmente, me sinto preparado para o que der e vier.

Capítulo 49

Vida nova

11 de julho, 19h23

O som do The Boys of Summer sai pelos alto-falantes do Putt-Putt Mini Golf.

— Exclusivo! — Josh diz em voz alta. — Experimentem o Slurpee tamanho gigante! Vocês sabiam que está custando só 79 *cents?*

— Mudou a minha vida! — Maggie está perdidamente apaixonada. Embora continue fingindo que não está se importando.

Estamos celebrando o último dia de Laila entre nós, porque ela está se mudando para a Filadélfia amanhã para um treinamento de verão. E Maggie vai para a Flórida em duas semanas.

— Não daria pra ser maior? — pergunto.

— A resposta é não — diz Laila.

— Grande pra dedéu! — Josh completa.

Laila também está bebendo isso na nossa despedida no 7-Eleven. Não consigo me lembrar da última vez em que a vi beber algo diferente de café.

— Por que está bebendo isso? — pergunto.

— Você não ouviu? Custa só 79 *cents*.

É, mas tem aquela Starbucks logo ali na frente do 7-Eleven.

— Não tomo café!

— Como assim? — Maggie e eu falamos juntas.

— Se eu não me treinar a ficar acordada sem estimulantes artificiais, vão ter que me garantir uma dose extra de cafeína lá na Penn.

— Nada mal — diz Mike.

— É normal se cansar — Tobey diz a ela.

— Se eu me cansar como qualquer pessoa, é provável que meu pai molhe a mão da minha colega de quarto para introduzir uma cápsula esmagada de NoDoz em meu jantar — Laila explica. — Quer dizer, antes de eu me tornar famosa por inventar a cura da sonolência.

É a minha vez. Atiro a bola longe. Ela aterrissa nuns arbustos que ficam além da cerca da Rota 78.

— Danou-se! — exclamo.

— É — diz Tobey. — Você não estava ganhando?

— Ainda estou.

— Como assim? De jeito nenhum — Josh interfere. — A sua bola foi parar na Groenlândia. Nunca mais você vai encontrar.

Começa a tocar *I Just Want To Be Your Everything.*

— Quem está cantando? O Bee Gees? — Laila pergunta.

— Céus! É o Andy Gibbs — Maggie responde, emocionada.

— Me desejem sorte — peço. Pelo menos a minha bola é laranja fosforescente.

— Espere — diz Laila. — Você não precisa ir procurar essa bola. O Tobey vai.

— Não vou não — Tobey retruca.

Laila continua:

— Lembra do acordo que fizemos?

— Qual?

— Ora, aquele acordo em que você disse que, se eu fizesse uma coisa, você seria meu escravo pelo resto do ano... Bem, meu querido, se eu me lembro bem, ainda está valendo. E, como eu não cobrei nada até agora, acho que você não tem escolha.

Tobey me contou do acordo que fez com Laila de ser o seu escravo se ela trocasse de parceiro com ele na aula de teoria musical.

— É mesmo! — digo. — Como você pôde deixar o ano passar sem ter se oferecido para nada?

— Esperei ela pedir.

— Bom — diz Laila. — Não estou pedindo, mas lembrando que quem manda aqui sou eu.

Tobey presta continência a Laila.

— Ande logo — ela ordena.

— Mandona. — diz Mike. — Gosto de mulher assim.

— Ah, faça-me o favor! — diz Laila. — Você gosta de mulher peituda. De preferência tamanho GG.

— Tchau! — Josh grita para Tobey. — Mande notícias.

— Também para mim! — digo. — Eu soube que a Groenlândia é linda nesta época do ano.

— Uau! — Josh grita. — Congelou tudo!

— Por que você tem que beber tudo de uma vez? — diz Maggie. Eles já se parecem com um casal de velhos. Só me pergunto o que Maggie fará quando se der conta do quanto gosta de Josh quando estiver na Flórida.

O próximo campo é o do moinho. Aquele que me deu um sinal no verão passado.

Josh pula para dentro da grama falsa e faz aquele passo do John Travolta, girando o taco a sua volta. Nós estamos olhando para ele.

Josh percebe que ninguém está rindo.

— Jogando... — ele murmura. Põe a bola no chão e ajeita para tacar. A bola bate no moinho e vem rolando de volta.

— Bela tacada, mocinho — Maggie provoca. — Deixa eu mostrar como é pra você se lembrar. — Ela põe a bola no chão.

— Isso quer dizer que temos um futuro? — Josh pergunta.

— Talvez — Maggie sorri disfarçadamente. — Se você tiver sorte.

Josh fica onde está, como que hipnotizado.

— Olhe — diz Maggie — e aprenda. — Ela se prepara para bater na bola. — Está olhando?

Josh, que não tira os olhos do bumbum de Maggie, diz:

— Sim, sim...

A bola passa do telhado do moinho. Ela ri.

Tobey vem correndo com a minha bola. Olha para o campo e diz:

— É muito fácil! — Põe a bola no chão, examina bem o moinho e balança o corpo. A bola bate em um dos braços da pá do moinho e desvia para as cavernas do morcego.

— Pronto. Agora é a sua vez.

Eu posiciono a bola da mesma maneira que antes. Desta vez não preciso de nenhum sinal. O moinho é meu.

Quero contar a Tobey que no verão passado eu estava neste exato lugar desejando que ele se tornasse realidade. Mas não me lembro de como a vida era antes dele. Tobey fez tudo se tornar possível. É como se tudo o que você pensar for verdade; se for realmente verdade no seu coração, vai acontecer. E existem milhares de possibilidades.

Como a possibilidade de cada um seguir o seu caminho.

Juntos.